entraînement physique
suivez le guide

TANYA WYATT

entraînement physique
suivez le guide
musculation • endurance • souplesse

Guy Saint-Jean
ÉDITEUR

Catalogage avant publication de Bibliothèque et Archives Canada

Wyatt, Tanya

Entraînement personnel : suivez le guide!

Traduction de : Be your own personal trainer.

Comprend des réf. bibliogr. et un index.

ISBN 2-89455-182-7

1. Condition physique. 2. Exercice. 3. Éducation physique. I. Titre.

GV481.W9214 2005   613.7   C2004-941987-0

Nous reconnaissons l'aide financière du gouvernement du Canada par l'entremise du Programme d'Aide au Développement de l'Industrie de l'Édition (PADIÉ) ainsi que celle de la SODEC pour nos activités d'édition.

Publié originalement dans le Royaume-Uni par New Holland Publishers (UK) Ltd.

Pour la version anglaise :

Édition : Mariëlle Renssen

Direction : Claudia Dos Santos, Simon Pooley

Direction technique : Alfred LeMaitre

Direction des séances photo en studio : Richard MacArthur

Révision : Roxanne Reid

Conception graphique : Lyndall du Toit

Illustration : Steven Felmore

Recherche photos : Karla Kik

Production : Myrna Collins

Consultation : Dr Nick Walters, directeur-adjoint du *British College of Medicine*

Crédit photographique :

Gallo : galloimages / gettyimages.com

Couverture : en haut à gauche, au centre à gauche, au centre à droite et en bas à droite, pages 6, 11, 12 (en haut), 13, 23, 25 (à droite), 26 (au centre et à droite), 27 (à gauche), 28 (au centre), 35 (en haut), 43, 44, 50, 52 (à droite), 102, 107.

Gettyimages / Touchline Photo

Couverture : en bas, à droite (photographie de Profimedia / Touchline), pages 25 (à gauche) : Allsports Concepts / Touchline Photo, 28 (en haut) : Dominic Barnardt / Touchline Images, 46 (en haut) : Getty Images / Touchline Photo, 47 (en haut et en bas) : Getty images / Touchline Photo, 51 : Profimedia / Touchline Photo, 52, (en haut) : Allsports Concepts / Touchline Photo, 59 : Profimedia / Touchline Photo.

Photo Access

Pages 12 (en bas), 25 (au centre), 26 (à gauche), 27 (au centre et à droite), 32, 33, 36 (en haut), 49, 53.

Traduction : Karima Afchar

Infographie : Christiane Séguin

Révision : Nathalie Viens

Dépôt légal 2e trimestre 2005

Bibliothèques nationales du Québec et du Canada

ISBN 2-89455-182-7

Distribution et diffusion

Amérique : Prologue

France : CDE / Sodis

Belgique : Diffusion Vander S.A.

Suisse : Transat S.A.

Guy Saint-Jean Éditeur inc.

3154, boul. Industriel, Laval (Québec) Canada. H7L 4P7. (450) 663-1777.

Courriel : saint-jean.editeur@qc.aira.com   Web : www.saint-jeanediteur.com

Guy Saint-Jean Éditeur France

48, rue des Ponts, 78290 Croissy-sur-Seine, France. (1) 39.76.99.43.

Courriel : gsj.editeur@free.fr

Imprimé et relié à Singapour

Avertissement

Bien que l'auteur et l'éditeur aient déployé tous les efforts pour s'assurer que les informations contenues dans cet ouvrage étaient exactes au moment d'aller sous presse, ils déclinent toute responsabilité en cas de perte, de blessures ou d'inconvénients encourus par quiconque utilise ce livre ou suit les conseils qui y sont prodigués.

À mes clients, passés et présents, dont les expériences nourrissent mes connaissances.

Mot de l'auteur

Bienvenue dans ce qui, je l'espère, constituera un tournant dans votre vie : une occasion de prendre en charge votre corps, d'évaluer où vous en êtes actuellement et d'analyser votre avenir, en termes de santé et de forme physique.

Le but de cet ouvrage est de vous fournir les outils favorisant un changement de style de vie, autrement dit, d'une part, vous donner la force nécessaire de passer d'un style de vie sédentaire à un style plus actif et, d'autre part, vous faire connaître davantage les choix qui s'offrent à vous lorsque vous envisagez de faire des exercices et que vous vous demandez quand et comment les faire. Certaines personnes désirent se mettre en forme physiquement de façon structurée et encadrée, en suivant des cours de conditionnement physique par exemple, mais le message que je souhaite transmettre est celui-ci : tous les mouvements comptent, peu importe l'endroit où ils s'effectuent, dans votre jardin, à la plage, dans une salle d'entraînement ou chez vous. L'image de la structure classique d'un conditionnement physique strict peut s'estomper et laisser place à une image où les activités physiques vous seront plus agréables, où vous apprendrez à vous prendre en charge et à vous faire confiance quant à un mode de vie plus sain, où vous commencerez à être à l'écoute de votre corps quand viendra le temps de choisir le type d'activités physiques qui conviendra le plus à votre constitution génétique.

J'espère qu'une fois que vous aurez fini de lire ce livre, vous serez en mesure de mettre au point votre propre programme d'activités physiques, personnalisé et unique, un programme qui correspondra à votre style de vie ; on ne réussit vraiment à changer que si le changement est durable et surtout, agréable.

Pour ceux d'entre vous qui sont prêts à faire ce changement, bonne chance dans votre démarche, et n'oubliez pas de respecter et de reconnaître à sa juste valeur la décision positive que vous venez de prendre. Pour ceux d'entre vous qui en sont à envisager la possibilité d'un changement et pour qui ce livre est une source d'informations sur la marche à suivre, j'espère vous encourager à faire le premier pas d'une démarche qui vous conduira à mener une vie active et dynamique. Enfin, pour les convertis qui désirent approfondir leurs connaissances, je vous tire ma révérence, non seulement pour les choix positifs que vous avez faits en devenant actif, mais pour votre désir d'être informé sur ce qui est sans aucun doute l'aspect le plus important d'un état de santé optimal.

Profitez-en !

Remerciements

Tous mes remerciements à Bruce McLoughlin pour avoir puisé si généreusement dans ses vastes connaissances ; à Drummond Murphy (Woolworths), Tanya de Kock (Falke) et Belinda Reid (Triumph) pour leur apport. Ma gratitude, mon respect et mon amour à Sally Lee et Mark Vella, mes amis et collègues, pour leur inspiration, leur soutien et leur participation infinis.

À mes modèles, Stuart, Paul, Glennis, Mike et Nikki, vous êtes beaux et grâce à vous, mon ouvrage n'en est que plus précieux. De nombreux remerciements également à Virgin Active, plus particulièrement Linda Holmes et Steve Murray, responsables des lieux des séances photos, et à Paul Underwood, qui a mis son studio à notre disposition pour les photos d'intérieur.

À Alfred LeMaitre, Roxanne Reid, Lyndall du Toit et Danie Nel et tous les autres membres de New Holland Publishing avec qui j'ai travaillé, merci pour votre travail et votre soutien sans bornes et merci de m'avoir permis de vivre cette expérience remarquable.

Tous mes remerciements et mon amour à Stu pour sa foi entière et inébranlable en mes capacités et pour son incroyable soutien. Enfin et surtout, tous mes remerciements à ma famille extraordinaire, pour son soutien et pour m'avoir insufflé la confiance et la conviction que si je veux, je peux !

1
2
3
4
5

TABLE DES MATIÈRES

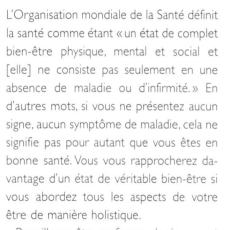

Santé et habitudes de vie

L'Organisation mondiale de la Santé définit la santé comme étant «un état de complet bien-être physique, mental et social et [elle] ne consiste pas seulement en une absence de maladie ou d'infirmité.» En d'autres mots, si vous ne présentez aucun signe, aucun symptôme de maladie, cela ne signifie pas pour autant que vous êtes en bonne santé. Vous vous rapprocherez davantage d'un état de véritable bien-être si vous abordez tous les aspects de votre être de manière holistique.

Par ailleurs, être en forme physiquement ne signifie pas non plus que vous êtes en bonne santé. Ainsi, si vous pouvez courir un marathon, mais que parallèlement vous fumez et mangez mal, vous ne serez pas en aussi bonne santé que quelqu'un qui ne peut parcourir que deux kilomètres en courant, mais dont les habitudes de vie reflètent le concept de santé véritable.

L'amélioration de votre état de santé et de votre forme physique permettra notamment de réduire les risques que vous courez de développer des maladies liées à l'inactivité. Bien que cela nécessite un investissement de temps et d'énergie, les gains que vous réaliserez en termes de santé et de finances seront importants : pensez aux dépenses médicales que vous n'aurez plus à payer. Vous réussirez à améliorer votre état

de santé en modifiant vos habitudes de vie et votre comportement, et en réglant votre état d'esprit sur l'activité physique.

Le diagramme ci-dessous, extrait du *Exercise Teachers Academy's Manual for Fitness Professionals,* représente le continuum de la santé. Vous remarquerez que toute la zone de gauche se rapporte à la maladie, alors que la zone de droite se rapporte à un état de santé optimal. Bien qu'il puisse paraître logique de se trouver dans la zone de droite du diagramme, de nombreuses personnes semblent incapables de s'y rendre, par manque de connaissances ou par manque de motivation. L'amélioration de l'état de santé repré-

sente la première des nombreuses étapes à suivre pour aboutir à un bien-être personnel ; elle peut être entreprise à n'importe quel moment, peu importe la zone du continuum où l'on se situe.

Être en mesure de prendre en charge sa propre santé est une idée très libératrice, mais également intimidante ; il est donc impératif d'amorcer le processus progressivement, une étape à la fois.

L'*activité physique* se définit comme une suite de mouvements du corps, où entrent en ligne de compte tous les muscles squelettiques, produisant ainsi un accroissement du rendement énergétique. Cet ouvrage aborde principalement l'activité et la forme

Continuum de la santé

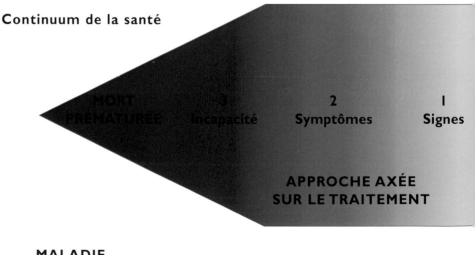

MALADIE

MORT PRÉMATURÉE · 3 Incapacité · 2 Symptômes · 1 Signes

APPROCHE AXÉE SUR LE TRAITEMENT

physiques du point de vue de la santé et non du point de vue de la performance.

La *forme physique optimale,* telle que la décrit le American Council on Exercise, se définit comme «la condition résultant d'habitudes de vie qui conduisent au développement d'un niveau optimal d'endurance cardiovasculaire, de force musculaire et de souplesse, mais qui permettent également d'atteindre le poids corporel idéal.» Autrement dit, être en bonne forme physique, du point de vue de la santé, devrait vous permettre de poursuivre vos activités quotidiennes avec dynamisme et enthousiasme, mais aussi avec suffisamment d'énergie pour mener à bien toutes vos activités de loisirs et vos passe-temps, et pour pratiquer les sports que vous aimez.

L'*endurance cardiovasculaire* (appelée aussi capacité cardiorespiratoire ou encore capacité aérobie) se rapporte à la capacité qu'ont votre cœur, vos poumons et vos vaisseaux sanguins d'acheminer la quantité adéquate d'oxygène aux muscles que vous sollicitez.

La *force musculaire* est la capacité d'un muscle ou d'un groupe de muscles à produire une force maximale en une seule contraction, alors que l'*endurance musculaire* est la capacité d'un muscle ou d'un groupe de muscles à produire un nombre de contractions consécutives pour vaincre une résistance, tout en résistant à la fatigue. L'endurance musculaire correspond également au temps qu'une contraction peut être tenue sans se fatiguer. Faire de la musculation permet d'atteindre ces états de force et d'endurance musculaires, puisque les muscles se contractent pour vaincre une résistance ou soulever une charge.

La *souplesse* se rapporte à l'amplitude des mouvements que peuvent effectuer les articulations.

Quels sont les avantages de l'activité physique?

Certains avantages de l'activité et de la forme physiques ont déjà été mentionnés; d'autres qui se rapportent tout particulièrement à la forme cardiovasculaire, à la résistance et à la souplesse sont présentés au chapitre trois. En bref, l'activité physique permet de:

- réduire les effets du vieillissement
- améliorer la circulation sanguine
- contrôler plus efficacement le poids corporel
- prendre conscience de son corps
- diminuer les risques de maladies liées aux habitudes de vie

- renforcer le système immunitaire.

Au-delà de ces avantages physiologiques, il y a des avantages psychologiques qui découlent de l'activité physique. En prendre conscience vous incitera peut-être à faire ce qu'il faut pour devenir plus actif. Car l'activité physique permet également de:

- atténuer les états d'anxiété, de dépression et de stress
- accroître l'estime de soi et la confiance en soi
- avoir l'esprit vif, être efficace et productif au travail et dans la vie en général.

Et l'alimentation?

Le rôle que joue l'alimentation dans l'activité physique ne devrait pas être sousestimé. S'il est essentiel pour être en bonne santé de faire fréquemment des exercices, il est aussi impératif de reconnaître l'impact, positif ou négatif, de votre façon de vous nourrir sur votre état de santé. De nombreuses personnes semblent mal à l'aise devant les responsabilités qui en découlent, préférant ingurgiter diverses potions, lotions ou gélules, ou encore essayer différents traitements afin de les contourner.

Les régimes à la mode qui promettent une solution immédiate ne témoignent pas d'un style de vie sain: en réalité, en les adoptant, les concepts de santé véritable et de prise en charge personnelle deviennent de plus en plus flous. Il faut travailler fort pour parvenir à un état de santé optimal par l'entremise de l'alimentation, mais il ne faut pas oublier que les bénéfices que l'on en retire dépassent de beaucoup les efforts entrepris.

Bien que cet ouvrage se concentre sur l'activité physique plutôt que sur l'alimentation, les lignes directrices suivantes sont importantes à suivre:

- Soyez le plus près possible de la nature: choisissez des aliments entiers plutôt que des aliments transformés.

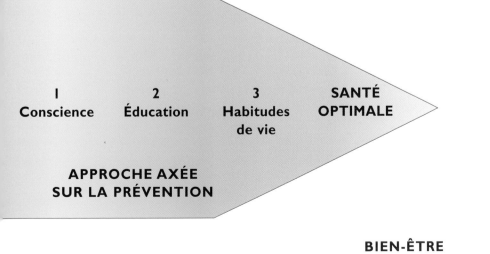

1
Conscience

2
Éducation

3
Habitudes de vie

SANTÉ OPTIMALE

APPROCHE AXÉE SUR LA PRÉVENTION

BIEN-ÊTRE

- Nourrissez-vous d'une diversité d'aliments.
- Buvez au moins de six à huit verres d'eau par jour, de préférence de l'eau filtrée ou en bouteille si la qualité de l'eau est incertaine là où vous résidez. Buvez davantage d'eau si vous êtes actif.
- Évitez les graisses saturées et incluez dans votre alimentation des acides gras oméga-3 et 6 (par exemple : des graines et leurs huiles pressées à froid, des avocats, des noix, des poissons d'eau profonde et leurs huiles).
- Évitez le sucre, le sel et l'alcool autant que possible.
- Mangez autant d'aliments crus que possible. Si vous devez cuire les aliments, choisissez de préférence les grillades, les aliments cuits au four, à la vapeur ou à la poêle sans matières grasses.
- Choisissez des aliments à faible indice glycémique (voir tableau) puisqu'ils empêchent de faire grimper le taux de sucre dans le sang. Un taux élevé de sucre dans le sang provoque une surproduction d'insuline qui peut provoquer un stockage accru des graisses dans le corps.
- Évitez d'absorber des aliments qui contiennent des hormones de croissance, des stéroïdes, des colorants, des arômes, des agents de conservation et des édulcorants.
- Évitez de trop manger, mangez plutôt de petites quantités plus souvent. Un repas peut être composé simplement d'un fruit et d'une poignée de noix.
- Essayez de ne pas vouloir être parfait. Remarquez que ces lignes directrices indiquent qu'il faut « éviter » et non pas « supprimer ». Où serait le plaisir (sans parler du fait que cela serait impossible à respecter sur une période de temps prolongée) si vous ne pouviez de temps à autre succomber à un succulent dessert? Faites des folies de temps en temps, mais afin de compenser ces choix d'ali-

INDICE GLYCÉMIQUE

Les aliments qui ont le plus d'impact sur le taux de sucre dans le sang sont ceux dont l'indice glycémique (IG) est le plus élevé. Essayez de choisir des aliments dont l'IG est inférieur à 50, ce qui permet de libérer plus lentement les sucres dans le sang.

INDICE GLYCÉMIQUE (suite)

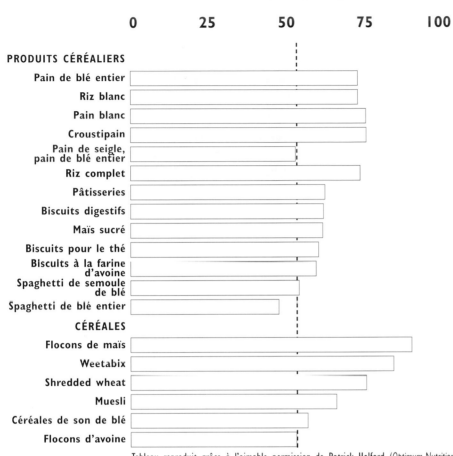

PRODUITS CÉRÉALIERS

Tableau reproduit grâce à l'aimable permission de Patrick Holford (*Optimum Nutrition Bible*, Piatkus)

L'aérobique intense permet de brûler des calories et d'augmenter le métabolisme du corps.

ments pas toujours très sains, assurez-vous que votre alimentation est saine les trois quarts du temps.

Maigrir et brûler les graisses

«Quel type d'activité devrais-je entreprendre pour brûler le plus de graisses possible?» C'est là l'une des premières questions que posent ceux et celles qui commencent à faire des exercices physiques et qui aimeraient devenir plus minces. La réponse est très simple : « Tous. » En vérité, il y a plusieurs façons d'aborder cette question.

1. L'aérobique intense permet de brûler de grandes quantités d'énergie (ou de calories) ; en effet, c'est le glycogène musculaire qui devient la principale source d'énergie. Mais bien plus que cela, l'aérobique permet d'accroître le métabolisme non seulement pendant l'activité exercée, mais aussi après, pendant une brève période de temps. Ce type d'activité équivaut à une brève séance d'exercices plus soutenus, tels qu'un cours de vélo intérieur, de kickboxing ou encore du jogging rapide. Une séance d'aérobique intense devrait durer de 30 à 60 minutes.
Inconvénient : la quantité d'énergie et de motivation qu'il faut pour se rendre jusqu'à la fin de la séance.
Avantage : la séance est rapidement terminée et vous vous rapprochez encore un peu plus d'une bonne forme physique.

2. L'aérobique de faible intensité brûle les graisses stockées dans le corps, qui deviennent donc la principale source d'énergie. Les graisses brûlent directement, sans tenir compte du glycogène musculaire. Ce type d'activité équivaut à une longue séance d'exercices simples comme au moins 45 minutes de marche, de vélo à vitesse modérée sur terrain plat ou de natation détendue.

La marche est une activité aérobique de faible intensité

Une séance d'aérobique à intensité modérée devrait durer au moins 60 minutes.
Inconvénient : il faut y consacrer beaucoup plus de temps.
Avantage : aucune grande quantité d'énergie n'est requise pour parvenir à la fin de la séance.

3. L'entraînement musculaire permet d'accroître et de définir la masse musculaire, d'où une transformation de votre constitution et de votre métabolisme (voir page 36).
Inconvénient : pour obtenir des résultats, il est nécessaire d'être discipliné et déterminé.
Avantage : la masse musculaire est plus importante et plus définie, ce qui permet de dépenser plus d'énergie, même au repos.

Les activités d'aérobique à intensité faible et élevée ne constituent, en général, que des façons à court terme de brûler la masse adipeuse, alors que l'entraînement musculaire se déroule sur le long terme. Il est

donc logique de penser qu'il faut poursuivre à la fois un entraînement cardiovasculaire (aérobique) et un entraînement musculaire (musculation), le tout associé à de meilleures habitudes alimentaires, si la perte de poids fait partie de vos objectifs. Mais assurez-vous de ne pas vouloir perdre trop de poids trop rapidement en étant très strict. Perdre 500 grammes par semaine constitue une bonne moyenne ; vous serez ainsi plus sûr de ne pas les reprendre. Si vous perdez plus de poids plus rapidement, cela peut tout simplement vouloir dire qu'il s'agit de pertes en eau ou, pire encore, de pertes en tissus musculaires. Puisque les muscles sont plus lourds que la masse adipeuse, il se peut que vous preniez un peu de poids en commençant un programme d'exercices, surtout si vous faites de la musculation. Mais ne vous découragez pas, vous pourriez perdre également quelques grammes en trop. Essayez de ne pas uniquement penser à votre poids, mais plutôt à la façon dont vous vous sentez dans vos vêtements ou encore à la façon dont vous

Pour accroître et définir la masse musculaire.

vous sentez en général. Soyez également conscient que vous remarquerez un accroissement de la taille de vos muscles avant de remarquer une diminution de la masse adipeuse, ce qui expliquerait que vous vous sentez à l'étroit dans vos vêtements. Soyez patient : donnez-vous deux mois avant de songer au pire. À force de persévérance, vous remarquerez quelques changements impressionnants.

Bonnes et mauvaises habitudes

Le stress, nous en avons tous entendu parler et, sans aucun doute, nous l'avons vécu à un moment ou à un autre de notre vie. Le terme couvre certes un large éventail d'actions positives (par exemple : le corps peut percevoir les exercices physiques comme un stress) et d'actions négatives (par exemple : ne pas être en mesure de respecter une échéance), mais dans cette section du chapitre, les facteurs stressants sont définis comme des facteurs perçus négativement par les personnes qui les vivent.

Les agents stressants ont un rôle important dans les habitudes de vie choisies. Une habitude, c'est une manière de se comporter de façon répétée qui peut être inconsciente ou très peu consciente et qui est déclenchée par certains événements ou certaines circonstances où entrent en jeu des facteurs stressants. Les habitudes peuvent ou améliorer l'état de santé (par exemple : faire des exercices lorsqu'on est en colère ou méditer lorsqu'on est anxieux), ou nuire à l'état de santé (par exemple : fumer lorsqu'on se sent à court de temps, consommer de l'alcool ou manger pour se réconforter lorsqu'on se sent déprimé).

Il serait bon de bien vous connaître pour comprendre vos habitudes et ce qui les déclenche. Dans les exemples d'habitudes négatives mentionnés précédemment, les déclencheurs étaient le stress et la dépression. Si vous êtes conscient du fait que ces deux facteurs vous poussent à fumer, à consommer de l'alcool ou à manger par besoin de réconfort, vous serez plus en mesure d'adopter un comportement différent la prochaine fois que les déclencheurs réapparaîtront dans votre vie. Vous pourriez décider d'aller faire le tour de votre quartier en marchant d'un pas vif pour atténuer le sentiment de stress que vous éprouvez ou encore, de parler à un ami ou même à un psychologue si vous vous sentez déprimé.

Il est essentiel que les comportements que vous choisirez d'adopter soient réalistes et faciles à mettre en pratique pour que leurs impacts dans votre vie ne soient pas négatifs. Ainsi, ne décidez pas d'aller courir ou d'aller marcher lorsque vous vous sentez stressé si vous n'aimez ni l'une ni l'autre de ces activités. Choisissez plutôt une activité que vous aimez faire afin que la nouvelle association stress-activité physique soit positive.

Tenez un journal pendant quelques semaines et notez-y les événements qui vous interpellent et le comportement que vous adoptez. Vous commencerez peut-être à remarquer un schéma comportemental, et de voir ce schéma exprimé noir sur blanc vous aidera à comprendre si vos habitudes de vie témoignent d'un style de vie sain ou si au contraire, elles nuisent à votre santé. À partir de là, vous pourriez mettre au point un programme d'action, avec des objectifs bien précis et des échéanciers d'exécution raisonnables pour vous permettre justement de changer vos habitudes négatives (voir page 52). Ne vous brusquez pas, soyez patient avec vous-même lorsque vous essayez de vous débarrasser de vos mauvaises habitudes. Ainsi que le remarquait Mark Twain : « Une habitude est une habitude. On ne peut la jeter par la fenêtre, mais on peut douce-

Les agents stressants négatifs comme la cigarette et la consommation de trop grandes quantités d'alcool augmentent les risques de développer des habitudes qui nuisent à votre santé.

ment l'aider à descendre l'escalier une marche à la fois. »

Parmi les comportements positifs que vous pouvez choisir d'adopter face à des situations stressantes se retrouvent l'activité physique, la méditation, l'expression des sentiments, le sommeil, les massages, les cours de relaxation ou tout simplement, faire quelque chose d'amusant, ce que nous oublions trop souvent. Certains de ces comportements ne seront pas indiqués au moment même où vous vivez une situation stressante, mais d'autres peuvent l'être. Vous devez trouver la façon la plus efficace possible de gérer un agent stressant

lorsque celui-ci fait son apparition ou peu après qu'il s'est manifesté, puisque le stress a des impacts cumulatifs sur l'état de santé.

Quel est votre type morphologique ?

Il y a trois types morphologiques de base : mésomorphe, ectomorphe et endomorphe. Entre ces trois types, existent des « mélanges » de caractéristiques : endo-méso ou méso-endo ; méso-ecto ou ecto-méso.

Pour savoir à quelle catégorie morphologique vous appartenez, encerclez l'un de vos poignets à l'aide du majeur et du pouce de l'autre main. Si votre majeur recouvre votre pouce, il est fort probable que vous vous rangez dans la catégorie des ectomorphes. Si vos doigts se touchent, vous vous classez probablement dans la catégorie des mésomorphes. Si vos doigts ne se touchent pas du tout, vous êtes sans doute un endomorphe.

Regardez les différents types morphologiques ci-dessous et choisissez le type qui, selon vous, correspond à la forme actuelle de votre corps. Puis, lisez les caractéristi-ques mentionnées plus loin afin d'avoir une meilleure idée des spécificités de votre type morphologique. Si vous avez envie de changer de silhouette, analysez votre type morphologique actuel tel qu'il est présenté ci-dessous et déterminez le type qui, selon vous, représente raisonnablement l'idéal morphologique. Tant que votre type morphologique actuel et votre idéal ne se situent pas aux deux côtés opposés du tableau, un type morphologique intermé-diaire est un objectif réalisable.

Mésomorphe : Vous êtes en général musclé ; les épaules sont plus larges que la taille. L'abdomen est ferme, les hanches sont étroites.

Les membres inférieurs sont plutôt bien définis et fermes. Bien que vous ayez tendance à stocker autant de graisses que vous avez de masse musculaire, perdre du poids n'est pas aussi difficile pour vous que pour les autres types morphologiques

TYPES MORPHOLOGIQUES COMMUNS, CHEZ LES HOMMES ET LES FEMMES : ENDOMORPHES, MÉSOMORPHES ET ECTOMORPHES

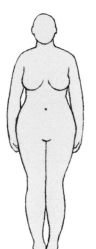 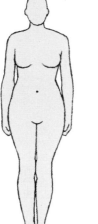 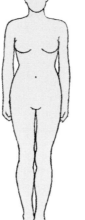   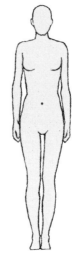 

Endomorphe	**Endo-méso**	**Méso-endo**	**Mésomorphe**	**Méso-ecto**	**Ecto-méso**	**Ectomorphe**

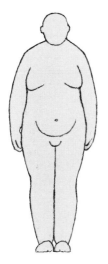 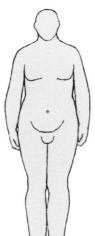 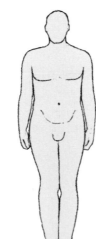 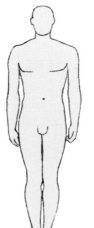 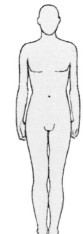 

grâce à une proportion élevée de masse musculaire et donc, un métabolisme plus rapide. Vous vous sentez très à l'aise, comme s'il s'agissait d'une seconde nature, lorsqu'il vous faut pratiquer un nouveau sport ou faire des activités physiques qui exigent des aptitudes athlétiques.

Le programme d'exercices qui vous conviendra le plus est un programme général, offrant diverses activités à intensités différentes et incluant un entraînement cardiovasculaire et musculaire, de même que des exercices de souplesse. En ce qui concerne les sports, il serait bon de vous diriger vers ceux où il faut de la puissance, de la force, de brèves poussées d'énergie intense comme le soccer, la boxe, la gymnastique, le sprint et les arts martiaux.

Ectomorphe: Vous êtes en général fort mince; les membres supérieurs et inférieurs sont longs et votre bassin est étroit. Vous avez tendance à avoir moins de masse adipeuse et moins de muscles que les deux autres types morphologiques et grâce à un métabolisme élevé de nature, vous éprouvez des difficultés à prendre du poids ou à accroître votre masse musculaire. Cela ne signifie pas pour autant que vous ne devriez pas faire d'exercices ou que par définition, vous soyez en bonne santé. Vous devriez malgré tout faire des exercices pour atteindre un état de santé optimal. De par votre nature, vous avez tendance à préférer les activités d'endurance, mais vous retireriez de grands bénéfices à inclure des exercices de musculation pour donner plus de force à vos muscles. Les sports que vous aimeriez sans doute pratiquer comprennent le volleyball, le basketball, la danse classique, la course de fond et le plongeon.

Endomorphe: Vous stockez en général une grosse quantité de graisses à cause d'un métabolisme lent de nature. La masse adipeuse se retrouve autour de la taille, des fesses ou des cuisses. Votre corps étant naturellement fort puisque vous déplacez constamment un excès de poids, les activités nécessitant de la force vous conviendront plus particulièrement. Il serait bon de pratiquer des sports où votre carrure est un avantage, comme la lutte, l'haltérophilie, le soccer ou les sports nautiques où l'on est en suspension dans l'eau (vous flottez bien dans l'eau grâce à un taux élevé de masse adipeuse).

Un programme d'entraînement cardiovasculaire vous conviendrait puisqu'au départ, il est de faible intensité sur une longue durée. À cela il serait bon d'associer un entraînement musculaire pour augmenter l'endurance de vos muscles et réduire la masse adipeuse excédentaire.

Quel est votre type de fibre musculaire?

Les muscles sont composés de fibres musculaires individuelles qui se contractent lentement, dans le cas des fibres à contraction lente, ou rapidement, dans le cas des fibres à contraction rapide. Tout le monde possède les deux types de fibres musculaires, mais c'est le patrimoine génétique qui détermine la proportion de chaque groupe de fibres.

Les personnes dont le nombre de fibres à contraction rapide est plus élevé se distinguent dans des activités physiques qui exigent de brèves poussées d'énergie intense, comme le lancer du poids ou le sprint, alors que celles dont le nombre de fibres à contraction lente est plus élevé se surpassent dans des activités d'endurance, comme le marathon ou le cyclisme sur longue distance. Ces deux groupes de fibres musculaires puisent dans le corps différentes sources d'énergie: les fibres à contraction lente dépendent principalement des sources d'oxygène, alors que les

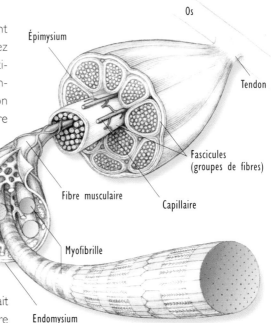

Pour comprendre quelles sont les activités physiques qui vous conviennent le plus, il est bon de savoir quel type de fibres musculaires prédomine chez vous.

fibres à contraction rapide n'ont pas besoin d'oxygène. Certaines activités exigent l'utilisation d'une combinaison de ces deux sources d'énergie et par conséquent, les deux groupes de fibres musculaires seront éventuellement sollicités et exercés.

Afin de savoir quel groupe de fibres musculaires est prédominant chez vous, vous pouvez choisir la voie véritablement scientifique, à savoir demander qu'une biopsie musculaire soit effectuée. Lors de cette intervention, le personnel médical prélèvera un petit échantillon de muscle pour en étudier la composition.

Mais si vous préférez éviter à n'importe quel prix de passer un moment douloureux, vous remarquerez très probablement que vous vous tournez naturellement vers les activités physiques où vous vous sentez le plus à l'aise et qui vous sont agréables. Bien que cette démarche ne soit certes pas très scientifique, elle permet d'indiquer votre groupe de fibres musculaires prédominant.

autoévaluation

Ce chapitre aborde principalement les différentes évaluations se rapportant à divers aspects de l'activité physique. Certains questionnaires évaluent votre volonté de modifier votre style de vie actuel et d'adopter un style qui comprendrait plus d'activités physiques; d'autres se penchent davantage sur votre aspect physique de façon pratique. Tout le monde devrait remplir le questionnaire de dépistage de problèmes de santé avant de commencer un programme d'exercices. Essayez de répondre également aux autres questionnaires ou du moins, à ceux qui vous semblent le plus pertinents du point de vue de votre santé et des objectifs de forme physique que vous vous êtes fixés.

Ces évaluations vous fourniront une piste de départ. Plus tard, vous pourrez choisir d'y répondre de nouveau, et la comparaison des deux séries de réponses pourrait vous motiver grandement à poursuivre votre programme d'exercices. La dernière partie de ce chapitre vous permettra de faire le calcul des points obtenus une fois que vous aurez répondu aux questions qui se trouvent sur la page opposée et vous aidera à mieux comprendre où vous et votre corps vous situez actuellement.

Pour ce qui est des noms des muscles (qui ont gardé leur nomenclature scientifique) vous pouvez consulter les pages 56-59, afin de comprendre où ils sont situés dans le corps.

Un moniteur note votre tension artérielle pendant que vous faites de la bicyclette stationnaire, en salle d'entraînement.

ÉVALUATION : DÉPISTAGE DE PROBLÈMES DE SANTÉ AVANT LA PARTICIPATION À UN PROGRAMME D'EXERCICES (Résultats, p. 24-29)

1. Êtes-vous un homme âgé de plus de 45 ans ? Oui Non

2. Êtes-vous une femme âgée de plus de 55 ans ? Oui Non

3. Dans votre famille :
(hommes) votre père ou tout autre parent proche de sexe masculin (frère ou fils) a-t-il déjà eu une crise cardiaque ou est-il décédé de mort subite avant l'âge de 55 ans ?
(femmes) votre mère ou tout autre parent proche de sexe féminin (sœur ou fille) a-t-elle déjà eu une crise cardiaque ou est-elle décédée de mort subite avant l'âge de 65 ans ? Oui Non

4. Fumez-vous actuellement ou avez-vous arrêté de fumer au cours des six derniers mois ? Oui Non

5. Votre tension artérielle dépasse-t-elle 140/90 mm Hg (prise au moins deux fois, à des moments distincts) ou prenez-vous des médicaments antihypertenseurs (médicaments qui aident à diminuer la tension artérielle) ? Oui Non

6. Votre taux de cholestérol sérique dépasse-t-il 200 mg/dL (5,2 mmol/L) ou est-ce que votre taux de lipoprotéines de haute densité (cholestérol HDL) est de 35 mg/dL (0,9 mmol/L) ou moins ? Oui Non

7. Avez-vous reçu un diagnostic de diabète insulinodépendant ? Oui Non

8. Êtes-vous actuellement inactif physiquement ? Oui Non

9. Un professionnel de la santé (médecin, naturopathe, etc.) vous a-t-il déconseillé de faire des exercices ? Oui Non

10. Souffrez-vous d'une condition médicale ou de blessures que l'activité physique pourrait aggraver ? Oui Non

11. Êtes-vous enceinte ou avez-vous accouché au cours des trois derniers mois ? Oui Non

12. Y a-t-il une autre raison pour laquelle vous ne devriez pas poursuivre d'activités physiques ? Oui Non

Votre taille et votre poids permettent de calculer votre indice de masse corporelle (IMC).

Questionnaire sur votre style de vie

Il est permis de penser que l'évaluation de votre disposition au changement constitue l'un des aspects les plus importants de ce chapitre. Vous pouvez mettre au point un programme d'activités physiques merveilleusement bien équilibré et efficace, mais si vous n'y êtes pas dévoué et que la passion n'est pas au rendez-vous, votre programme ne vaut pas grand-chose. Soyez aussi honnête que possible en répondant à ces questions : si véritablement, vous n'êtes pas prêt à modifier votre style de vie, il sera plus bénéfique de le reconnaître et de découvrir ce qui vous en empêche.

Répondez à la section A ou B, selon que votre objectif est d'être en forme (A : cette section se rapporte directement aux bienfaits du point de vue de la santé) ou selon que vous voulez simplement améliorer votre état de santé (B). Répondez ensuite au reste du questionnaire (C et D).

A. BIENFAITS DE LA SANTÉ ET DE LA FORME PHYSIQUE (p. 24)

1. Au cours de ma journée, j'ai le temps de consacrer de 30 à 60 minutes à la fois à des exercices physiques. D'accord Pas d'accord

2. J'ai le temps de consacrer de 30 à 60 minutes à la fois à des exercices physiques, de trois à sept jours par semaine. D'accord Pas d'accord

3. Au cours de mes séances d'exercices, je suis prêt à faire des exercices d'intensité modérée à élevée. D'accord Pas d'accord

B. BIENFAITS DE LA SANTÉ (p. 24)

1. Au cours de ma journée, j'ai le temps de consacrer 30 minutes ou plus à une activité physique, même si je dois la décomposer en deux fois 15 minutes ou trois fois 10 minutes. D'accord Pas d'accord

2. J'ai le temps d'inclure une activité physique quotidienne au moins cinq fois par semaine même si je dois la décomposer en séances plus courtes (voir question 1). D'accord Pas d'accord

3. Je peux me lever de 10 à 15 minutes plus tôt le matin afin de faire une activité physique. D'accord Pas d'accord

4. Le midi, je peux consacrer de 10 à 15 minutes à une activité physique. D'accord Pas d'accord

5. Je peux réserver de 10 à 15 minutes de ma soirée à une activité physique. D'accord Pas d'accord

C. SOUTIEN (p. 24)

1. J'ai un ami, un conjoint qui peut m'offrir son soutien affectif pendant que je pose les jalons d'un changement de style de vie pour être plus actif physiquement. D'accord Pas d'accord

2. J'ai un ami, un conjoint ou un parent qui est prêt à s'entraîner avec moi, lors de quelques-unes ou de toutes mes séances d'entraînement.

D'accord   Pas d'accord

3. Je sais qu'il existe une classe d'exercices ou une activité de groupe (par exemple : un groupe de coureurs, de cyclistes, de nageurs ou une classe d'aérobique) à laquelle je peux m'inscrire si je ressens le besoin d'être motivé.

D'accord   Pas d'accord

4. Je connais quelqu'un qui peut me servir de modèle pour m'aider à respecter mon programme et à être motivé.

D'accord   Pas d'accord

D. ÉTAT D'ESPRIT (p. 24-25)

1. J'aime faire des activités physiques.

D'accord   Pas d'accord

2. D'une façon ou d'une autre, j'ai toujours été actif physiquement, même par intermittence, tout au long de ma vie.

D'accord   Pas d'accord

3. Je choisis d'être actif physiquement parce que tel est mon désir.

D'accord   Pas d'accord

4. Être actif physiquement m'aide à avoir l'esprit vif et à sentir que je peux en faire plus.

D'accord   Pas d'accord

5. Être actif physiquement m'aide à me sentir mieux dans mon corps.

D'accord   Pas d'accord

6. Grâce à l'activité physique, j'ai le sentiment de pouvoir contrôler ma santé.

D'accord   Pas d'accord

7. Je choisis d'être actif physiquement parce que je sais que je devrais faire des exercices.

D'accord   Pas d'accord

8. Je choisis d'être actif physiquement parce que quelqu'un (médecin, conjoint, ami ou autre) a dit que je devais faire des exercices.

D'accord   Pas d'accord

9. Je ne crois pas qu'être actif physiquement aura des répercussions sur mon état d'esprit.

D'accord   Pas d'accord

10. Je ne pense pas qu'il est important pour moi de contrôler ma propre santé, puisque je suis convaincu que c'est le rôle de mon médecin.

D'accord   Pas d'accord

11. Je n'ai jamais senti que mon état physique s'améliorait à la suite d'exercices physiques.

D'accord   Pas d'accord

12. Actuellement, mon état de santé général et mon état de bien-être ne sont pas vraiment importants pour moi.

D'accord   Pas d'accord

Équilibre musculaire (p. 25)

Les êtres humains présentent en général trois types de posture (voir la planche ci-dessous). Puisque c'est la position du bassin qui souvent dicte ce qui se produit dans le haut ou le bas du corps en termes d'équilibre ou de déséquilibre musculaire, il est normal qu'il soit l'objet principal d'une évaluation de la posture. Cette section du chapitre vous aidera à déterminer si votre posture est équilibrée ou déséquilibrée. Bien qu'il ne s'agisse pas ici d'une évaluation approfondie (ce qui nécessiterait l'intervention d'un spécialiste pour vous faire passer une série de tests de souplesse et de force musculaire), cela vous permettra néanmoins de remarquer rapidement quelques petits problèmes liés à votre posture. Inspirez-vous des informations contenues dans le chapitre trois (Planifier son programme d'exercices, p. 30) et dans le chapitre quatre (Exercices à la carte, p. 54) pour mettre au point votre propre programme de rééquilibre de votre posture.

Devant un miroir, tenez-vous debout, sur le côté, dans une position que vous considérez détendue, c'est-à-dire que vous ne devez pas essayer d'avoir une posture parfaite. Posez deux doigts de la main la plus éloignée du miroir sur l'os pubien et assurez-vous de bien sentir l'os. Posez deux doigts de l'autre main sur la pointe de la hanche rattachée à la jambe la plus proche du miroir. Notez si les doigts qui sont sur la hanche dépassent ceux qui sont sur l'os pubien (antéversion du bassin), s'ils sont en retrait (rétroversion du bassin) ou s'ils sont alignés (posture neutre du bassin). Comparez votre posture à celles illustrées ci-dessous. Les postures illustrées sont très accentuées pour bien montrer les différentes obliquités du bassin; votre posture n'est peut-être pas aussi marquée que celles des exemples.

TEST SUR L'ÉQUILIBRE MUSCULAIRE

Encerclez la réponse la plus pertinente (les réponses possibles sont en *italique*) :

1

1. Mon bassin est *en antéversion / en rétroversion / neutre* et *penche / ne penche pas* vers *la gauche / la droite*.

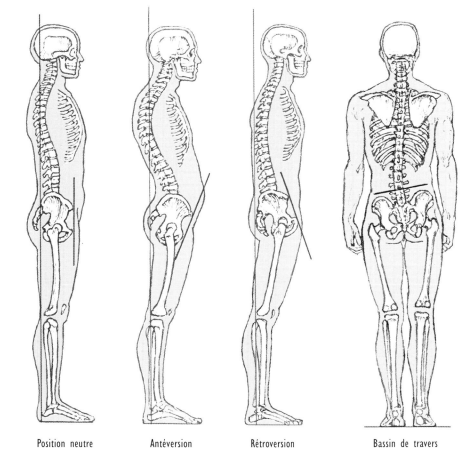

Position neutre   Antéversion   Rétroversion   Bassin de travers

Maintenant, placez-vous face au miroir (toujours en position détendue) et notez vos observations ci-dessous :

Mes jambes et mes pieds sont *parallèles / ouverts vers l'extérieur / tournés vers l'intérieur.*

Jambes et pieds parallèles

Jambes et pieds ouverts
vers l'extérieur

Jambes et pieds tournés
vers l'intérieur

Ma cheville *droite / gauche* est *rentrée / ouverte*

Pied droit rentré

Chevilles ouvertes

Quand je plie les genoux à un angle de 45 degrés, ils sont *cagneux / arqués* (les orteils médians servent de point de repère).

Genoux droits

Genoux cagneux

Genoux arqués

Bras en position neutre

Bras ouverts

Bras tournés vers l'intérieur

 5

Mes bras et mes mains sont en *position neutre* (les paumes sont face aux jambes) / *ouverts vers l'extérieur* / *tournés vers l'intérieur* (voir photos à gauche).

Repositionnez-vous de côté et regardez-vous dans le miroir. Assurez-vous de ne pas changer de posture en tournant la tête :

Épaules tombantes

Épaules rejetées vers l'arrière

Épaule penchée à gauche

 6

Mes épaules *sont tombantes* / *sont rejetées vers l'arrière* / *penchent à droite* / *penchent à gauche* (voir photos à gauche).

7

Mon dos est *arrondi* / *droit* (voir photos à gauche et au centre).

Genoux derrière les hanches

Genoux dans le prolongement des hanches

 8

Mes genoux sont *derrière mes hanches* / *dans le prolongement de mes hanches* (voir photos à droite)

9

Mes omoplates sont *saillantes* / *aplaties*.

10

Mes oreilles sont *devant mon cou* / *dans le prolongement du cou*.

Omoplates aplaties

Omoplates saillantes

Oreilles devant le cou

Oreilles dans le prolongement du cou

QUELLE SORTE D'ACTIVITÉ PHYSIQUE PRÉFÉREZ-VOUS ? (p. 27)

1. J'aime les activités physiques où je dois faire des mouvements répétitifs et continus pendant plus de 10 minutes et qui me laissent haletant.   D'accord   Pas d'accord

2. J'aime les activités physiques qui me font transpirer, mais qui ne comportent pas de mouvements répétitifs et continus sur une durée prolongée.   D'accord   Pas d'accord

3. J'aime les activités physiques où je sens mon corps s'étirer.   D'accord   Pas d'accord

4. J'aime les activités physiques où entrent en jeu des mouvements chorégraphiques.   D'accord   Pas d'accord

5. J'aime les activités physiques qui se font au rythme de la musique.   D'accord   Pas d'accord

6. J'aime les activités physiques qui exigent un niveau élevé d'habiletés.   D'accord   Pas d'accord

7. J'aime les activités physiques que l'on peut faire seul.   D'accord   Pas d'accord

8. J'aime les activités physiques que l'on fait en groupe.   D'accord   Pas d'accord

9. J'aime les activités physiques répétitives.   D'accord   Pas d'accord

10. J'aime les activités physiques dont le mode varie fréquemment.   D'accord   Pas d'accord

11. J'aime les activités physiques qui ont un début et une fin.   D'accord   Pas d'accord

Forme cardiovasculaire (p. 28)

Cette section vous offre la possibilité de savoir si votre cœur est fort ou faible. Le test présenté ici provient du Cooper Institute. Pour le faire, il est nécessaire que vous vous chronométriez pendant que vous parcourez une distance de 2,5 kilomètres sur terrain plat, en courant. N'oubliez pas que les conditions météorologiques, le niveau d'énergie et la motivation ont d'importantes répercussions sur les résultats de ce test : essayez donc d'être aussi constant que possible lorsque vous faites le test.

La marche est une activité à faible impact, elle ne coûte pas cher et elle permet d'être en meilleure forme.

La marche est une activité à faible impact, elle ne coûte pas cher et elle permet d'être en meilleure forme.

Constitution corporelle (p. 29)

L'indice de masse corporelle (IMC) permet d'évaluer votre poids par rapport à votre taille. On le calcule en divisant son poids en kilogrammes par la taille en mètres carrés. (Pour convertir les livres en kilogrammes, il suffit de diviser par 2,205 ; pour convertir les pouces en mètres, il faut multiplier par 0,0254.) Par exemple, si vous pesez 80 kg et que vous mesurez 1,80 m, votre taille élevée au carré est de 3,2 m (1,80 X 1,80). Divisez 80 par 3,2 et vous obtenez un IMC de 25.

L'emplacement de la masse adipeuse en dit long sur une personne — si elle est obèse, si elle court le risque d'être obèse — et sur les maladies qui sont reliées à l'obésité.

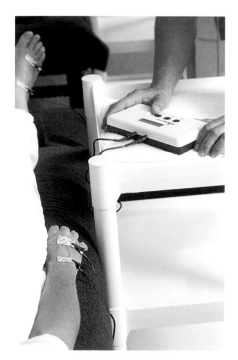

Un des moyens d'évaluer votre masse adipeuse est de passer un test électronique.

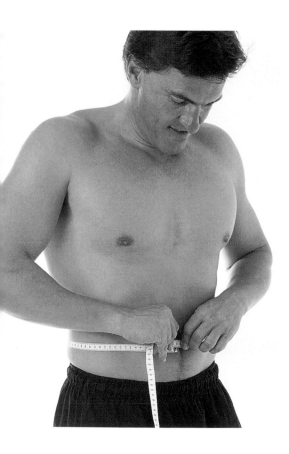

Les personnes dont la masse adipeuse est stockée autour du tronc, plus particulièrement dans la région de l'abdomen, courent plus de risques de développer des maladies comme l'hypertension artérielle, le diabète ou l'insuffisance coronaire et de mourir prématurément que ceux dont la masse adipeuse est stockée dans les bras ou les jambes.

Pour savoir si l'on souffre d'obésité abdominale, il suffit de mesurer la circonférence abdominale. Afin d'être plus précis, déterminez un point entre la dernière côte de la cage thoracique et la pointe de l'os de la hanche : ce point servira de repère pour placer le ruban et mesurer votre tour de taille, en centimètres.

RÉSULTATS DES QUESTIONNAIRES :
Dépistage des problèmes de santé avant la participation à un programme d'exercices (p. 17)

Ces questions avaient trait à des facteurs qui peuvent changer, tels que la cigarette, l'inactivité, l'hypertension artérielle, etc. et à des facteurs qui ne peuvent pas changer, tels que l'âge, le sexe et les problèmes de santé héréditaires. Si vous avez répondu « oui » à deux questions ou plus, il est important que vous obteniez l'accord de votre médecin avant d'entamer un programme d'activités physiques. De la même façon, si vous n'êtes pas certain de votre taux de cholestérol ou que vous ne connaissez pas votre tension artérielle, ou encore si votre dernier examen médical remonte à plus d'un an, allez voir votre médecin pour qu'il puisse vous faire passer les tests nécessaires.

À gauche : La mesure du tour de taille permet de déterminer les risques d'obésité et les maladies qui y sont reliées.

Questionnaire sur votre style de vie (p. 18-19)
A. Bienfaits de la santé et de la forme physique

Si vous avez répondu « d'accord » aux trois questions, vous faites preuve de détermination et êtes prêt à choisir ou à maintenir un style de vie qui encourage la promotion de la santé et de la forme physique au moyen d'activités physiques.

B. Bienfaits de la santé

Si vous avez répondu « d'accord » à au moins trois questions, vous êtes sur la bonne voie d'améliorer votre état de santé en intégrant à votre vie des activités physiques.

C. Soutien

Si vous avez répondu « d'accord » à au moins deux questions, vous pouvez vous sentir assez confiant des chances de succès de votre programme puisque la motivation et le soutien sont essentiels au respect d'un programme d'exercices.

D. État d'esprit

Questions 1 à 7 : Si vous avez répondu « d'accord » à au moins une question, cela indique que vous avez la motivation nécessaire pour être actif physiquement. Bravo!

Questions 8 à 12: Si vous n'avez répondu «d'accord» qu'à une seule question ou moins, il vous sera peut-être très difficile de maintenir la motivation pour respecter votre programme. Il faudrait réévaluer vos objectifs et votre motivation, puisque sans votre propre résolution, il est fort peu probable que vous vous sentiez suffisamment déterminé pour réussir votre programme d'exercices.

Équilibre musculaire (p. 20-21)

Ces résultats vous en diront long sur les muscles forts (fermes) et faibles (longs) de votre corps et vous permettront ainsi de mettre au point votre propre programme d'entraînement et d'équilibre musculaires. (Voir le chapitre quatre pour les explications de l'emplacement des muscles dans le corps, p. 54.)

Question 1 (bassin):

Position neutre du bassin: C'est une bonne position, puisque c'est lorsqu'elle est dans le prolongement du bassin que la colonne vertébrale soutient le corps de façon optimale.

Antéversion du bassin: En général, de cette position du bassin découlent des muscles abdominaux faibles, des muscles fléchisseurs de la hanche et des quadriceps tendus, mais également des extenseurs

dorsaux peu mobiles, des muscles fessiers et des muscles ischio-jambiers faibles.

Rétroversion du bassin: Généralement, cette position du bassin a des répercussions sur le muscle grand droit de l'abdomen (le muscle abdominal le plus superficiel) qui est tendu; les muscles fléchisseurs de la hanche et les quadriceps sont faibles, de même que les muscles fessiers et les extenseurs dorsaux, alors que les muscles ischio-jambiers sont solides.

Bassin de travers: Cette position pourrait indiquer que vous souffrez de scoliose (incurvation latérale de la colonne vertébrale), qu'une de vos jambes est plus courte que l'autre ou encore que votre torse est en rotation. Si votre bassin est en rétroversion, il serait bon de consulter un spécialiste du dos pour obtenir un diagnostic plus précis.

Question 2 (pieds et jambes):

Parallèles: Vos pieds et jambes sont en position neutre.

Ouverts vers l'extérieur: Cette position des pieds et jambes indique généralement de solides rotateurs de la hanche externes. Vous souhaiterez peut-être inclure dans votre programme des exercices d'étirement pour ces muscles (voir: Étirement: Pied croisé au-dessus du genou, page 97).

Tournés vers l'intérieur: Cette position indique que vous avez de solides rotateurs

de la hanche internes et donc, des exercices d'étirement de ces muscles seraient appropriés (voir: Étirement: Position du papillon, page 98).

Question 3 (chevilles):

Rentrées: Cela peut indiquer une faiblesse des muscles qui stabilisent la jambe (muscles du haut de la jambe externes et rotateurs de la hanche) ou un manque de mobilité des muscles de la jambe inférieure externes ainsi qu'une faiblesse des muscles opposés. (Les muscles de l'avant-bras et de la main et les muscles de la jambe inférieure et du pied ne sont pas couverts dans ce livre.)

Lorsque la cheville est rentrée à l'intérieur (ce qui s'appelle «déviation» ou «pronation du pied») et que l'on marche ou court, d'autres problèmes reliés à la posture peuvent en découler, susceptibles d'être temporairement résolus par l'orthétique. Si ce problème vous préoccupe, consultez un podiatre, mais assurez-vous également de rectifier le problème de déséquilibre musculaire qui a conduit à cette déviation du pied.

Ouvertes: Une cheville ouverte vers l'extérieur peut être à la source de muscles de la jambe inférieure internes peu mobiles, qui sont alors en cause dans le fait que le pied se tourne vers l'extérieur (ce qui s'appelle «inversion» ou «supination du

pied») et que les muscles opposés sont faibles. Dans ce cas-ci également, ce déséquilibre peut provoquer des problèmes dans la démarche lorsqu'on marche ou court. Il vaut mieux alors consulter un spécialiste pour obtenir un diagnostic plus précis et un traitement adéquat.

Question 4 (genoux):

Cagneux: Ceci peut indiquer une faiblesse des muscles qui stabilisent la jambe (muscles du haut de la jambe externes et rotateurs de la hanche). Intégrez dans votre programme des exercices qui fortifient ces muscles.

Arqués: Ceci peut indiquer que vos rotateurs de la hanche externes sont très solides; vous devriez peut-être intégrer des exercices d'étirement pour ces muscles (voir: Étirement: Pied croisé au-dessus du genou, page 97).

Question 5 (mains et bras):

Position neutre: Ceci indique qu'il n'y a aucun déséquilibre important.

Tournés vers l'extérieur: Cette position peut avoir un lien avec une coiffe des rotateurs postérieurs (les muscles stabilisateurs de l'épaule) et des épaules peu mobiles. Puisque de nombreux exercices pour le haut du corps permettant la rotation interne des bras sont décrits au chapitre quatre, vous devriez être en mesure de contrecarrer ce manque de mobilité des

muscles de manière assez efficace.

Tournés vers l'intérieur: Ce déséquilibre est plus fréquent que celui mentionné plus tôt, parce que de nombreux muscles du haut du corps exercent cette action. Essayez d'intégrer à votre programme l'exercice de rotation externe du bras (voir page 72) pour vous aider à rééquilibrer les bras.

Question 6 (épaules):

Tombantes: Ceci peut indiquer que les muscles de la poitrine sont tendus et que les rotateurs internes de l'épaule sont solides (de nombreux muscles dorsaux exercent cette fonction). Il se peut également que le muscle grand dentelé soit faible (voir l'exercice du Lecteur, page 63). Le grand dentelé permet que les omoplates restent droites, collées au dos et donc, que les épaules soit dégagées vers l'arrière.

Rejetées vers l'arrière: Un manque de mobilité des muscles dorsaux et une faiblesse des muscles de la poitrine peuvent provoquer ce déséquilibre. Consultez le chapitre quatre pour intégrer des exercices d'étirement du dos et de renforcement de la poitrine.

Penchées d'un côté: Ceci indique qu'un muscle ou un groupe de muscles d'un côté du corps est moins mobile que le muscle ou le groupe de muscles opposés. Puisqu'il

vous serait difficile de déterminer exactement quels sont les muscles responsables de ce déséquilibre, il vaudrait mieux consulter un spécialiste en ce domaine.

Question 7 (haut du dos):

Arrondi: Le terme scientifique de ce déséquilibre est «cyphose dorsale». Ceci peut indiquer les mêmes problèmes que dans le cas des épaules tombantes. Procédez donc de la même façon. Il serait bon de faire l'exercice intitulé Ouverture de la cage thoracique de la page 94.

Droit: Le dos ne devrait pas être raide, mais si le haut de votre dos est relativement droit, cela indique généralement qu'il n'y a pas de grand déséquilibre dans cette région du corps. Cela étant dit, il serait bon de faire des exercices de stabilisation du torse (voir la section se rapportant à la stabilisation du torse, page 60).

Question 8 (genoux):

Derrière: Vous souffrez peut-être de lordose lombaire et vos jambes ont tendance à se bloquer lorsqu'elles sont tendues, ce qui peut provoquer un changement de position du bassin qui n'est plus ainsi en position neutre. Évitez de trop tendre les genoux lorsque vous êtes debout ou que vous marchez; essayez plutôt de vous concentrer à contrôler l'exten-

sion des genoux à l'aide des muscles des cuisses.

Dans le prolongement des hanches: C'est la meilleure position pour les jambes en termes de position du bassin.

Question 9 (omoplates):

Adduction des omoplates (saillantes): Ceci pourrait indiquer que les muscles situés entre les omoplates (les rhomboïdes et les trapèzes) sont tendus. Consultez la section des étirements dorsaux du chapitre quatre et essayez d'intégrer les exercices intitulés *Stoppeur* et *Lecteur*, aux pages 62 et 63, pour fortifier les muscles à action inverse.

Aplaties: Aucun grand déséquilibre ne semble se situer dans cette région.

Question 10 (oreilles):

Devant le cou: Cela indique que votre cou est souvent tendu, ce qui signifie que les muscles qui permettent de garder la tête droite sont trop sollicités et ainsi, beaucoup trop forts. Essayez de rentrer le menton tout en vous assurant qu'il est parallèle au plancher et de repousser l'arrière du cou pour qu'il s'allonge et ne soit pas trop courbé.

Dans le prolongement du cou: Aucun grand déséquilibre ne semble se situer dans cette région.

QUELLE SORTE D'ACTIVITÉ PHYSIQUE PRÉFÉREZ-VOUS? (p. 23)

La question 1 se rapporte aux activités cardiovasculaires d'intensité modérée à élevée, telles que la marche, la course, le cyclisme, la nage, la randonnée pédestre, le patinage sur roues alignées, le patinage sur glace, le ski de fond, le «sandboarding» et le surf des neiges.

La question 2 se rapporte à l'entraînement musculaire grâce auquel les muscles se renforcent par l'entremise d'une pression exercée par une résistance ou une charge. L'entraînement musculaire englobe l'équilibre musculaire (voir la section se rapportant à la stabilisation du torse, page 60), la force des muscles et l'endurance musculaire (voir Entraînement musculaire, page 67).

La question 3 se rapporte aux activités où entre en jeu l'amplitude de mouvement des articulations, telles que les classes d'étirement, le Pilates ou le yoga.

La question 4 peut se rapporter à toutes les activités de danse telles que la danse classique, la danse sociale, les danses latino-américaines, le hip-hop, la danse moderne, etc. Si vous aimez l'idée de soumettre votre corps à des mouvements rythmiques, dirigés, fixes qui exigent une vivacité d'esprit, un sens de la coordination et une certaine habileté, alors ces activités sont pour vous.

La question 5 se rapporte à tous les types d'activités en groupe, par exemple une classe d'exercices conventionnelle, où la musique joue un rôle, telles que le cyclisme d'intérieur, le «step», les exercices à faible impact ou à impact élevé, les exercices de tonification, etc. Faire des exercices au son de la musique peut faire passer le temps et peut être très agréable, surtout si vous chantez en même temps.

La question 6 se rapporte aux activités qui doivent être apprises et pratiquées parce qu'elles requièrent de bonnes habiletés pour terminer une séance efficace d'exercices. Ces activités comprennent la capoeira (une forme de combat très populaire actuellement), le tai-chi, le karaté, le kickboxing, la boxe et les classes de mise en forme physique reposant sur les arts martiaux.

La question 7 se rapporte aux activités qui peuvent être effectuées efficacement tout seul, en d'autres mots, des activités qui n'exigent pas la présence d'un groupe. De nombreuses personnes préfèrent être seules lorsqu'elles font des exercices, surtout celles qui, par exemple, détestent l'idée de se rendre dans une salle d'entraînement bruyante ou de prendre part à un grand groupe de coureurs.

La question 8 se rapporte aux activités qui peuvent s'exercer en groupe ou au sein d'une équipe. Faire des exercices lorsqu'on fait partie d'un groupe peut être la source d'une grande motivation et peut être aussi très agréable. Cela permet également une interaction sociale, ce qui en soi peut être une raison suffisante pour commencer à faire des exercices.

La question 9 se rapporte aux risques que vous courez de vous ennuyer en exerçant la même activité continuellement. Certaines personnes se sentent à l'aise et en fait, apprécient ce sentiment de sécurité dans la répétition, d'autres au contraire peuvent avoir le sentiment que la répétition menace leur motivation et leur détermination à respecter leur programme.

La question 10 est l'inverse de la question 9, en ce sens qu'elle se rapporte au désir de certaines personnes de modifier leur mode d'activités physiques pour éviter l'ennui et d'inclure des éléments d'entraînement polyvalent pour pousser leur corps à s'adapter à diverses activités. Un entraînement polyvalent est une excellente façon d'améliorer rapidement sa forme physique.

La question 11 se rapporte aux activités qui nécessitent une puissance explosive, c'est-à-dire des activités telles que tous les sports de raquette, tennis et squash par exemple, mais aussi le volleyball, le football, le hockey, le soccer, etc. Ce genre d'activités exige une bonne forme physique puisque le cœur est appelé à gérer des niveaux d'efforts et de pouls variés et parfois extrêmes.

Pour atteindre une bonne forme physique, essayez de pratiquer des activités extérieures. Elles sont agréables et elles vous permettent de changer de décor.

Les sports de ballon en équipe sont des activités qui exigent des déplacements rapides et qui garantissent une bonne séance d'exercices.

Forme cardiovasculaire (p. 23)

En comparant vos résultats avec ceux qui se trouvent dans le tableau de la page ci-contre, vous aurez une bonne idée de votre forme cardiovasculaire. Si vous désirez être actif trois jours par semaine ou plus et que vous avez l'intention d'intégrer des activités cardiovasculaires lors de vos séances d'exercices, refaites le test au bout de six à huit semaines et ensuite, tous les deux mois environ. Pour ne pas perdre de vue les objectifs que vous vous êtes fixés dans votre programme d'exercices, ne laissez pas trop de temps s'écouler entre les tests. Si votre programme fonctionne bien pour vous, cela vous incitera à continuer. Si vous découvrez par contre que votre forme physique n'est pas à son mieux, cela vous offrira l'occasion de réévaluer votre programme, vos efforts et votre motivation.

Le cyclisme, en salle ou sur terrain, peut accroître de façon importante votre niveau de forme physique.

PARCOUREZ UNE DISTANCE DE 2,5 KILOMÈTRES À LA COURSE, CHRONOMÉTREZ-VOUS ET COMPAREZ VOS RÉSULTATS AVEC CEUX DU TABLEAU CI-DESSOUS (EN MINUTES)

FEMMES

Âge	de 20 à 29 ans	de 30 à 39 ans	de 40 à 49 ans	de 50 à 59 ans	de 60 à 69 ans	de 70 à 79 ans
E	moins de 11 min 47	moins de 12 min 50	moins de 13 min 35	moins de 14 min 54	moins de 15 min 56	moins de 16 min 43
B	11 min 48 - 13 min 22	12 min 51 - 14 min 23	13 min 36 - 14 min 57	14 min 55 - 16 min 12	15 min 57 - 17 min 6	16 min 44 - 18 min
M	13 min 23 - 14 min 49	14 min 24 - 15 min 25	14 min 58 - 16 min 12	16 min 13 - 17 min 14	17 min 7 - 18 min	18 min 1 - 18 min 59
F	14 min 50 - 16 min 11	15 min 26 - 16 min 48	16 min 13 - 17 min 29	17 min 15 - 18 min 23	18 min 1 - 19 min 2	19 min - 19 min 56
A	16 min 12 - 19 min 25	6 min 49 - 19 min 23	17 min 30 - 20 min 4	18 min 24 - 20 min 35	19 min 3 - 21 min	19 min 57 - 21 min 36

HOMMES

	de 20 à 29 ans	de 30 à 39 ans	de 40 à 49 ans	de 50 à 59 ans	de 60 à 69 ans	de 70 à 79 ans
E	moins de 9 min 14	moins de 10 min 1	moins de 10 min 47	moins de 12 min 1	moins de 13 min 22	moins de 14 min 37
B	9 min 15 - 11 min 10	10 min 2 - 11 min 39	10 min 48 - 12 min 20	12 min 2 - 13 min 47	13 min 23 - 14 min 59	14 min 38 - 16 min 27
M	11 min 11 - 12 min 25	11 min 40 - 12 min 51	12 min 21 - 13 min 46	13 min 48 - 14 min 54	15 min - 16 min 16	16 min 28 - 17 min 29
F	12 min 26 - 13 min 53	12 min 52 - 14 min 23	13 min 47 - 15 min 7	14 min 55 - 16 min 22	16 min 17 - 17 min 41	17 min 30 - 19 min 2
A	13 min 54 - 18 min	14 min 24 - 18 min	15 min 8 - 18 min 31	16 min 23 - 19 min 53	17 min 42 - 20 min 51	19 min 3 - 21 min 5

E = votre niveau de forme physique est excellent

B = votre niveau de forme physique est bon

M = votre niveau de forme physique est moyen

F = votre niveau de forme physique est faible

A = il y a beaucoup de place à l'amélioration de votre forme physique ; vous ne pouvez que progresser

Source : Kenneth Cooper Aerobic Institute

CONSTITUTION CORPORELLE (p. 23)

Indice de masse corporelle (IMC) :

	Hommes	Femmes
Normal	de 24 à 27	de 23 à 26
Légèrement obèse	de 28 à 31	de 27 à 32
Obèse	plus de 31	plus de 32

Source : American College of Sports Medicine

Circonférence de la taille :

Hommes	Femmes
plus de 94 cm : **risques accrus**	plus de 80 cm : **risques accrus**
plus de 102 cm : **risques élevés**	plus de 88 cm : **risques élevés**

Source : American College of Sports Medicine

Planifier son programme d'exercices

Une fois que vous avez compilé les résultats des évaluations présentées dans le chapitre deux, vous pouvez vous servir des informations contenues dans le présent chapitre pour concevoir votre propre programme d'activités physiques. Ce chapitre est composé de quatre parties : la stabilisation du torse, l'entraînement musculaire, l'entraînement en souplesse et l'entraînement cardiovasculaire. À partir de maintenant, lorsqu'il sera question d'entraînement musculaire, cela comprendra de fait la stabilisation du torse puisque ce type d'entraînement exige des exercices de résistance pour stimuler le corps.

L'idéal serait d'intégrer un peu de chacune des quatre méthodes d'entraînement décrites ci-dessus dans un programme d'exercices, mais soyez réaliste et essayez de choisir les types d'activités qui répondent le mieux à vos besoins.

Avant de commencer

Toute séance d'exercices physiques comporte trois phases : le réchauffement, les exercices proprement dits et la récupération. Afin que le programme soit le plus efficace possible et afin de réduire les risques de blessures, assurez-vous de suivre les conseils offerts à propos de chaque phase.

Réchauffement

Cette phase prépare le corps aux activités physiques qui vont suivre en accroissant l'approvisionnement en sang vers les muscles sollicités. Commencez par des exercices de réchauffement d'intensité faible à modérée et ensuite, augmentez le degré d'intensité au bout de sept à dix minutes. À la fin de ce laps de temps, vous devriez avoir chaud, mais vous ne devriez pas être à bout de souffle. Idéalement, les exercices de réchauffement devraient imiter les mouvements que vous allez exécuter pendant la séance d'exercices. Par exemple, si vous allez courir, commencez par marcher ou faire du jogging léger. Si par contre, vous avez décidé de nager, faites quelques longueurs de piscine, lentement et à un rythme détendu. Les muscles qui seront ciblés pendant la séance d'exercices doivent être sollicités dès la période de réchauffement.

Que vous étiriez ou non les muscles après les exercices de réchauffement dépend de vous. L'idée générale consiste à analyser les exercices que vous avez choisi d'exécuter : si vous avez l'intention de suivre un cours de kickboxing, il vaut mieux étirer les muscles avant d'exécuter les exercices.

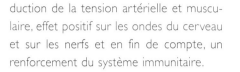

Séance d'exercices

Il s'agit de la principale composante du programme d'activités physiques : elle comprend l'entraînement cardiovasculaire, l'entraînement musculaire ou encore l'entraînement en souplesse.

Récupération

La phase de récupération devrait avoir lieu une fois que vous avez fini votre séance d'exercices. Pendant cette phase, il est nécessaire de ramener lentement le pouls et la respiration à un niveau normal. Idéalement, vous devriez consacrer au moins cinq minutes à la période de récupération, qui devrait être suivie d'une séance d'étirements après exercices afin de minimiser les courbatures, surtout si vous avez sollicité des muscles que vous ne sollicitez pas d'habitude. Vous pouvez également prolonger votre phase de récupération en y intégrant quelques exercices de relaxation, de méditation ou de respiration profonde.

La gestion du stress est un bon moyen pour vous préparer au reste de la journée ou pour finir une journée en beauté. Elle présente également d'autres avantages : réduction de la tension artérielle et musculaire, effet positif sur les ondes du cerveau et sur les nerfs et en fin de compte, un renforcement du système immunitaire.

COMMENT S'EXERCER EFFICACEMENT ?

Que vous choisissiez un entraînement musculaire, un entraînement en souplesse ou un entraînement cardiovasculaire, il vous faut respecter certains principes généraux. Le premier d'entre eux a trait à la *surcharge* : le corps doit être stimulé au-delà de ses capacités actuelles afin de déclencher une réponse ou une forme d'adaptation. Le stimulus est donc provoqué par la surcharge.

Les autres principes se rapportent à la *fréquence*, à l'*intensité*, au *type* et au *temps* (formule FITT), à la *progression*, à la *pertinence* et à la *réversibilité*. Ces principes s'appliquent à toutes les méthodes d'entraînement, mais voici un exemple de cette application en entraînement cardiovasculaire.

Vous promenez votre chien pendant 30 minutes presque tous les jours de la semaine. Au cours de cette promenade, vous n'êtes pas essoufflé, vous ne transpirez pas et vous ne vous sentez pas épuisé. Il vous faut alors accroître votre niveau de forme physique pendant cette période de temps que vous avez réservée à la promenade du chien.

En vous exerçant de façon plus régulière, vous augmentez la *fréquence* de votre activité physique. Puisque vous promenez votre chien presque tous les jours de la semaine, vous désirez peut-être le faire tous les jours de la semaine. Autre possibilité : vous pourriez appliquer le principe d'*intensité* et, tout simplement, marcher plus rapidement (voir aussi Prendre son pouls, page

Un étirement pied croisé au-dessus du genou améliore la flexibilité des fesses et des jambes.

103). Une autre option pour stimuler le corps consiste à modifier le *type* d'exercices : vous pourriez promener votre chien en courant, en faisant de la bicyclette ou en chaussant vos patins à roues alignées.

Une autre composante de la formule FITT se rapporte au *temps* pendant lequel vous vous exercez au cours d'une séance d'exercices. Dans l'exemple, votre activité physique se limite à 30 minutes. Si vous ne désirez pas passer plus de temps à faire des exercices, il vous faut ajuster les autres variables ; en revanche, si vous désirez modifier la durée de vos exercices, les autres variables peuvent rester constantes.

N'oubliez pas que lorsque vous modifiez plus d'une variable, de nouvelles options se présentent. Ainsi, vous pourriez diminuer la durée de votre séance d'exercices et choisir de faire une autre activité qui exige plus d'intensité. Ou alors, vous pourriez faire des exercices moins souvent mais qui dureraient plus longtemps et à la même intensité qu'auparavant.

Le principe de *progression* se rapporte au fait qu'afin de remarquer des améliorations dans votre forme physique, il vous faut sans cesse adapter votre programme d'exercices pour continuer à stimuler le corps. Essentiellement, cela revient à dire que votre programme deviendra de plus en plus difficile.

Voici quelques grandes lignes à suivre :

Débutants (semaines 1 à 6) : de trois fois par semaine, passer à quatre fois par semaine ; durée : de 15 minutes, passer à 30 minutes ; intensité cardiovasculaire : de 55 pour cent, passer à 70 pour cent du pouls maximal (voir page 103) ; l'entraînement musculaire doit se concentrer davantage sur la résistance des muscles.

Niveau intermédiaire (semaines 6 à 14) : cinq fois par semaine ; durée : 40 minutes ; intensité cardiovasculaire : 80 pour cent du

Faites d'une pierre deux coups en promenant votre chien en patins à roues alignées : vous gagnerez du temps et vous aurez fait une bonne séance d'exercices.

pouls maximal ; l'entraînement musculaire devrait inclure davantage d'exercices de force musculaire.

La *pertinence* se rapporte aux types d'exercices que vous choisissez. Si votre objectif est d'atteindre une forme physique qui vous permette de courir, ce n'est pas en nageant que vous l'atteindrez ; il faut courir pour atteindre une forme physique de coureur. Il est toujours bon de commencer lentement et dans ce cas-ci, un enchaînement marche-course est tout indiqué.

Analysons maintenant le principe de *réversibilité* et prenons pour hypothèse que vous avez décidé de promener votre chien en courant. Vous respectez votre programme d'exercices depuis quatre semaines, mais il se trouve que tout à coup, vous n'êtes pas en mesure de vous y tenir pendant une brève période de temps, vous devez partir en voyage d'affaires par exemple, voyage qui durera quelques semaines. Le principe de réversibilité s'énonce ainsi : « Exercez-vous, sinon vous perdez tout. » Autrement dit, si plus rien ne stimule votre corps, ici la course, l'adaptation qu'aura effectuée votre corps sera elle aussi perdue. En règle générale, plus vous aurez passé de temps à faire des exercices ou à stimuler votre corps et moins les résultats obtenus par l'adaptation de votre corps seront lents à se dissiper.

Tout comme pour n'importe quel programme d'activités physiques, il faut garder à l'esprit qu'il vaut mieux faire des progrès lentement et en toute sécurité. Commencez par un programme qui nécessite une durée courte et une intensité modérée. Si à un moment donné ou à un autre, vous ne vous sentez pas bien ou que vous éprouvez des douleurs, mettez un terme à vos exercices immédiatement et consultez un médecin.

Tout aussi important que ces principes d'entraînement, mais dont on fait souvent peu de cas, est la nécessité de se reposer. Faire des exercices alors qu'on est fatigué, faire des exercices trop souvent ou à une intensité trop élevée peut provoquer des blessures. Cela peut aussi entraîner un effet de plafonnement des résultats ou encore réduire les gains de votre programme. Soyez à l'écoute de votre corps et si vous vous sentez fatigué, ne forcez pas trop.

COMMENT AMÉLIORER SON ÉTAT DE SANTÉ ?

En puisant à même les informations contenues dans ce livre, deux voies s'ouvrent à vous quant à l'amélioration de votre état de santé ou de votre forme physique. La première encourage et préconise un bon état de santé ; la seconde se concentre sur l'amélioration de la forme physique.

Que pouvez-vous faire pour améliorer votre état de santé ? (Les questions propres à la forme physique seront présentées à la page 43). Les lignes directrices les plus communément acceptées préconisent une activité physique de 30 minutes à intensité modérée chaque jour. Ainsi, afin d'améliorer son état de santé, il est logique d'ajuster son style de vie de façon à pousser le corps à bouger aussi souvent que possible au cours de la journée pour obtenir cette durée. Il n'est pas nécessaire de faire 30 minutes d'activité en une seule fois ; décomposez vos séances d'exercices en plus petites séances d'activité physique si cela vous aide à vous motiver.

Voici un exemple : vous commencez à travailler à 8 h du matin et vous êtes très occupé jusqu'à midi. Vous avez le droit de prendre une pause pour manger, mais vous continuez à travailler pour pouvoir finir ce qu'il y a à faire. Invariablement, vous avalez un sandwich en vitesse, toujours assis à votre bureau, jusqu'à 17 h. Lorsque vous rentrez à la maison, il vous faut préparer le souper, donner le bain aux enfants, promener le chien, lire le journal et accomplir d'autres tâches. Pour vous détendre, vous aimez rencontrer vos amis ou encore, regarder la télévision ou visionner un film. Quand vous allez vous coucher, vous êtes épuisé. Alors, quand faites-vous des exercices ?

Pourquoi ne pas promener le chien le matin et faire le tour du quartier d'un pas vif pendant 10 minutes ; pourquoi ne pas aller marcher à midi pendant 10 minutes tout juste avant d'avaler votre sandwich ; et pourquoi ne pas aller marcher avec votre chien pendant 10 autres minutes le soir ? Non seulement votre chien deviendra votre meilleur ami, mais vous aurez également fait vos 30 minutes d'activité physique et amélioré par la même occasion votre état de santé.

Essayez également d'être aussi actif que possible pendant le reste de la journée. Cela nécessite bien sûr quelques modifications pertinentes de votre comportement qui viendront renforcer un style de vie plus actif. Bien que les suggestions suivantes puissent sembler dépassées (vous avez

Le midi, allez marcher d'un pas vif ; vous améliorerez votre état de santé.

certainement déjà entendu les spécialistes de la forme physique ou de la santé les proposer), elles représentent un moyen utile de réduire les répercussions négatives associées à l'inactivité et d'empêcher que votre métabolisme ne se ralentisse.

- Au lieu de prendre l'ascenseur, montez ou descendez les escaliers. Commencez par prendre l'ascenseur pour monter et descendez les marches à pied. Cela deviendra vite une habitude ; ensuite, essayez de monter les marches et de ne plus prendre l'ascenseur. Il en va de même pour les escaliers mécaniques.
- Lorsque vous devez garer votre voiture, garez-vous plus loin et marchez d'un pas vif.
- Lorsque vous parlez à quelqu'un sur votre portable, marchez en même temps, à moins bien sûr que cela ne brouille le signal.
- Réservez-vous du temps pour jardiner ou pour laver la piscine. Si vous n'avez ni jardin ni piscine, demandez à vos amis si vous pouvez utiliser les leurs. Ils ne refuseront pas !
- Si votre ville offre un bon système de transports publics, utilisez-le. Cela vous obligera à marcher entre les stations et vos correspondances.
- Au bureau, si vous devez transmettre un message ou un document à un collègue ou encore s'il vous faut des informations provenant d'un autre service, levez-vous et marchez plutôt que de faire appel au service des messages textes (mini-messages), d'envoyer un courriel ou un messager.

Pensez à tous les raccourcis que vous prenez pour éviter de dépenser trop d'énergie et essayez de faire des changements. Puisqu'il s'agit souvent d'habitudes bien ancrées, ne vous réprimandez pas s'il vous arrive d'oublier et de retourner à votre vieux comportement de temps à autre.

En résumé

- Faites des exercices de réchauffement avant une séance d'exercices et des exercices de récupération après.
- Rappelez-vous d'appliquer les principes de surcharge, de progression, de pertinence, de réversibilité et la formule FITT (fréquence, intensité, type et temps).
- Commencez un programme d'entraînement par des exercices de courte durée et de faible intensité.
- Pour améliorer votre état de santé, accumulez au cours de la journée 30 minutes ou plus d'activité physique d'intensité modérée, presque tous ou tous les jours de la semaine.
- Assurez-vous d'être actif le reste de la journée.

STABILISATION DU TORSE : DÉFINITION

Ce type d'entraînement porte sur la stabilité du torse (tronc). Il est très important de prendre soin des grands déséquilibres du torse avant d'entreprendre un quelconque entraînement musculaire ou alors il faut le faire simultanément, puisque l'accroissement de la force d'un muscle déjà trop développé peut avoir des conséquences désastreuses sur la posture.

Si vous avez terminé l'évaluation se rapportant à la posture (pages 20 à 22), vous avez une bonne idée des parties du corps qui doivent être étirées ou renforcées. Si vous ne l'avez pas complètement terminée, faites-le maintenant de façon à bien vous situer par rapport à cet aspect de l'entraînement.

En général, l'on a tendance à renforcer les parties du corps qui se plient facilement aux exercices, à savoir les muscles forts. Toutefois, ce sont les muscles qui ne semblent pas en mesure de répondre aussi bien à la sollicitation qui devraient être activés et renforcés. De la même façon, on a

tendance à étirer les muscles qui répondent facilement aux étirements, à savoir les muscles qui sont déjà longs. Il s'ensuit donc que ce sont ces muscles-là qui devraient être renforcés, alors que les muscles qui n'aiment pas beaucoup être étirés profiteraient grandement d'un entraînement en souplesse.

Si vous avez remarqué une quelconque faiblesse ou un quelconque déséquilibre de la posture ou si vous désirez simplement fortifier les muscles du torse, intégrez quelques-uns des exercices, sinon tous, du chapitre quatre, qui se rapportent particulièrement à la stabilisation du torse (voir pages 60 à 66). Cette section du chapitre quatre comprend également des exercices spécialisés des abdominaux et non pas uniquement des exercices classiques : les exercices spécialisés ciblent les muscles qui permettent de stabiliser le bassin et lui faire garder son alignement optimal, l'alignement neutre (voir la photo à droite).

À mesure que vous faites les exercices, n'oubliez pas le maintien de la posture. Cela aide à améliorer la respiration et le mouvement en général, mais aussi à réduire les risques de blessures. Pensez à des trucs qui vous rappelleront de faire attention à votre posture au cours de la journée et compensez les effets néfastes de la position assise en vous levant et en bougeant souvent. Essayez d'intégrer ces exercices à une routine hebdomadaire de façon à les faire au moins deux ou trois fois par semaine.

Une autre raison pour laquelle il est important de fortifier le torse, c'est que cela permet d'isoler les principaux muscles sollicités au cours d'un exercice de renforcement musculaire. Par exemple, au cours d'une flexion des biceps, un torse complètement immobile grâce à l'action des stabilisateurs a un effet positif sur les biceps

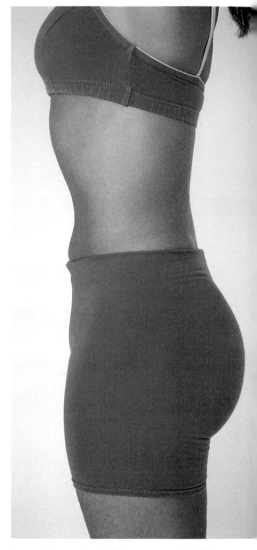

Un torse fort et dont le développement est équilibré, permet d'effectuer des mouvements puissants et efficaces.

puisqu'ils sont isolés. Si vous n'avez pas suffisamment de force pour utiliser les stabilisateurs du torse, le tronc peut par mégarde venir en aide aux biceps par un mouvement d'élan ; vous avez peut-être déjà remarqué quelqu'un en salle d'entraînement qui donne l'impulsion avec son dos plutôt que ses bras pour soulever les poids.

En résumé

- Prenez soin de tous les grands déséquilibres du torse avant de commencer un quelconque programme de musculation.
- Étirez les muscles raides et fortifiez les faibles.
- Faites davantage d'entraînement de stabilisation spécialisée des abdominaux.
- Essayez de faire en sorte que la colonne vertébrale soit en position neutre.
- Vérifiez que votre posture est bonne tout au long de la journée.

ENTRAÎNEMENT MUSCULAIRE : DÉFINITION

Un entraînement musculaire signifie tout simplement l'accroissement de la force musculaire en utilisant une résistance ou une charge. La plupart des gens connaissent ce type d'entraînement sous le nom

(en haut) Choisissez des exercices qui vous stimuleront et motiveront.

(en bas) Un torse immobile pendant un exercice de flexion des biceps permet d'isoler leur travail.

de musculation. Lorsque vous vous apprêtez à commencer un programme d'entraînement musculaire, deux possibilités s'offrent à vous selon le résultat que vous désirez obtenir.

Si votre objectif est d'*accroître l'endurance musculaire*, très utile lorsque vient le temps de porter les sacs de provisions, de porter les enfants ou de jardiner, ou si vous désirez que vos muscles aient plus de tonicité sans nécessairement en accroître la taille, il vous faut choisir une charge qui permette au muscle de faire plusieurs répétitions avant de se fatiguer. En raison des différents types morphologiques, la réaction à un entraînement aux poids dépend de chaque personne, mais il y a des règles générales qui s'appliquent de manière assez efficace. Pour accroître l'endurance musculaire, faites de 18 à 20 répétitions avec un poids qui commence à vous fatiguer lorsque vous en êtes à la 14e ou 15e répétition.

Si par contre votre objectif est d'*acquérir de la force*, très utile lorsqu'il s'agit de bouger les meubles ou de soulever une lourde boîte, ou si vous désirez tout simplement développer légèrement la taille de vos muscles, répétez l'exercice de 10 à 12 fois avec un poids qui commence à vous fatiguer à la 7e ou 8e répétition. Ce n'est que lorsque vous désirez acquérir une force musculaire maximale, en d'autres mots la charge maximale qu'un muscle peut soulever lors d'une seule répétition, que vous vous limitez à 4 ou 5 répétitions. Les culturistes et les dynamophiles s'exercent à ce niveau.

La position de l'oiseau fait partie des exercices d'entraînement musculaire qui permettent de fortifier la poitrine.

Pourquoi suivre un entraînement musculaire?

Tout le monde connaît les qualités esthétiques d'un muscle tonifié. Mais il y a d'au-

Un entraînement musculaire accroît l'endurance musculaire, permettant ainsi d'accomplir certaines tâches quotidiennes.

tres raisons pour lesquelles vous aurez peut-être envie de commencer ce type d'entraînement: une meilleure gestion du stress, une meilleure performance athlétique, une réduction des effets du vieillissement, la prévention ou le traitement de l'ostéoporose (diminution de la densité osseuse), un meilleur contrôle du poids, la prévention de blessures ou la réhabilitation.

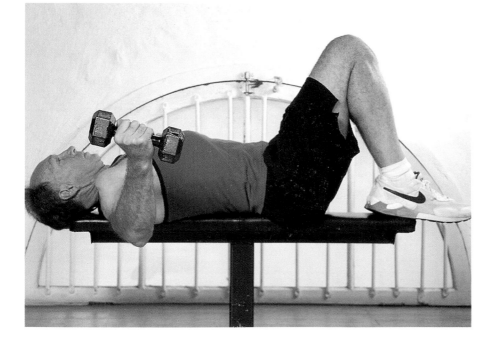

L'oiseau (voir page 68) est un exercice d'entraînement musculaire qui fortifie la poitrine.

Comment peut-on accroître la taille des muscles ?

Pour développer les muscles, il faut appliquer le principe de la surcharge tel qu'il a été expliqué au début de ce chapitre (voir page 31). Pour que vos muscles acquièrent plus de force, il faut qu'ils soient stimulés par une charge.

Dans un contexte d'entraînement musculaire, il existe peu de façons d'obtenir cette stimulation. Par exemple, si vous ne faites actuellement que cinq tractions sans trop d'efforts et que votre objectif est de fortifier la poitrine et les triceps, l'une des façons de surcharger ces muscles est de faire plus de cinq répétitions. Il se peut que vous découvriez qu'au bout de la huitième, vous avez des difficultés et donc là, vous vous arrêtez. Vous avez placé une surcharge sur les muscles en question tout simplement en ajoutant trois répétitions.

Vous pouvez également choisir de faire deux séries ou plus de répétitions du même exercice, ou encore réduire le temps de récupération entre chaque série.

Toujours dans cet exemple, une autre méthode d'accroissement de la charge serait de poser les pieds sur une marche pour ajouter plus de résistance à l'exercice. En levant les pieds, vous posez plus de poids corporel sur les bras, rendant ainsi l'exercice plus difficile à effectuer pour les muscles ciblés. Si vous décidez d'appliquer cette dernière méthode de stimulation du corps, augmentez la charge graduellement, 5 pour cent à la fois, pas plus. Cela est relativement facile à faire lorsqu'on travaille avec des appareils qui comportent des poids, mais un peu plus difficile lorsque c'est le poids du corps qui entre en ligne de compte, auquel cas, c'est votre sentiment de confort qui doit vous guider.

Faites quelques répétitions supplémentaires pour exercer une surcharge sur les muscles que vous désirez fortifier.

Combien de séries de répétitions ?

L'exemple cité soulève la question de savoir combien de séries de répétitions (groupes de répétitions) exécuter pour un exercice donné. Il existe plusieurs avis à ce sujet, mais essayez de déterminer un système qui fonctionne bien pour vous et pour le style de vie que vous avez choisi. S'il est vrai que deux séries ou plus accroissent les gains musculaires (certaines personnes font jusqu'à cinq séries), il est tout aussi vrai que si vous ne faites qu'une seule série d'exercices de musculation, mais de la bonne façon, c'est-à-dire sans élan et en vous concentrant, les gains musculaires seront similaires. L'option d'une seule série de répétitions est idéale pour les personnes qui ont des contraintes de temps ou pour celles qui ne veulent pas passer trop de temps à faire des exercices.

Si vous décidez de faire plus d'une série de répétitions par exercice, deux possibilités s'offrent à vous. La première consiste à faire les séries l'une à la suite de l'autre avec une courte période de récupération entre chacune d'elles. Une période de récupération dure entre 30 secondes et quelques minutes, selon l'intensité à laquelle vous faites les exercices. La seconde

Améliorez votre force en déterminant des façons de stimuler les muscles ciblés.

consiste à faire une série de répétitions d'un exercice, des tractions par exemple, de passer à un autre type d'exercices, des accroupissements par exemple, de façon à reposer le premier groupe de muscles avant d'en solliciter un autre. Vous pouvez ensuite revenir au premier type d'exercices et recommencer le processus. Cela s'appelle une « récupération active » et fait gagner beaucoup de temps.

Combien d'exercices à la fois ?

Une autre question à laquelle il vous faut répondre est le nombre d'exercices pour chaque partie du corps et par séance.

Dans le chapitre quatre, Exercices à la

carte, vous remarquerez que certains exercices ciblent de manière importante d'autres muscles que les muscles principaux. Ces exercices s'appellent *exercices combinés*, ce qui revient à dire que d'une pierre, vous faites deux coups. Ce sont d'excellents exercices si vous êtes à court de temps, car ils réduisent considérablement le temps consacré à l'entraînement. Le fait que ces exercices ciblent plus d'un muscle à la fois signifie aussi qu'ils sont fonctionnels, puisque la plupart de nos mouvements quotidiens sollicitent plusieurs muscles à la fois.

Les autres exercices que l'on retrouve au chapitre quatre s'appellent *exercices ciblés* et sont conçus spécialement pour le principal muscle sollicité. Ils permettent de varier le programme d'exercices et de faire certains gains en force musculaire, bien qu'exercer un groupe de muscles en particulier puisse conduire à des déséquilibres musculaires et à des blessures; assurez-vous par conséquent d'équilibrer le nombre d'exercices ciblés.

Analysez les résultats de l'évaluation portant sur la posture (voir pages 20 à 22) avant de décider quelles parties du corps cibler dans votre programme d'exercices et le nombre d'exercices qui s'y rapportent, puisque l'objectif est de développer un corps aux muscles équilibrés. Essayez de choisir au moins un exercice combiné pour chaque différente partie du corps; ces exercices se trouvent au chapitre quatre (voir particulièrement les pages 67 et 68). Il vaudrait même mieux choisir des exercices qui sollicitent le même muscle principal afin que l'entraînement soit plus efficace et plus équilibré. Par exemple, si vous choisissez de faire des tractions pour solliciter les muscles de la poitrine et les triceps, concentrez-vous sur les biceps et oubliez les triceps lorsque vient le temps d'exercer les muscles du bras, puisque les

Cette extension du dos est un exercice ciblé, il renforce un seul muscle en particulier.

triceps ont déjà été sollicités lors des tractions.

Des exercices, à quelle fréquence ?

Pour acquérir une force optimale, essayez d'effectuer la routine que vous aurez choisie au moins trois fois par semaine. Si le temps vous manque, deux fois par semaine devraient suffire pour l'entretien du corps, à condition que vous fassiez votre routine de la bonne façon et en étant concentré. Une séance d'entraînement musculaire par semaine aura peu de bénéfices. N'oubliez pas que le principe de la surcharge s'applique ici aussi: stimuler suffisamment le corps pour le forcer à s'adapter.

Selon le temps que vous pourrez consacrer à un entraînement musculaire, vous pouvez choisir d'effectuer une *routine classique* (qui sollicite les mêmes parties du corps à chaque séance) ou une *routine décomposée* (qui sollicite différentes parties du corps selon les jours).

Les exercices combinés sont des exercices fonctionnels puisqu'ils imitent les mouvements naturels.

EXEMPLE DE ROUTINE CLASSIQUE D'ENTRAÎNEMENT MUSCULAIRE POUR LE HAUT DU CORPS

2 séries de tractions (muscles principaux : poitrine et triceps)

I série d'extensions du bras au-dessus de la tête (principal muscle : triceps)

2 séries d'extension dorsale prise large (principaux muscles : dos et biceps)

I série de flexion des biceps (principaux muscles : biceps)

I série d'abduction latérale (principaux muscles : deltoïdes)

I série d'abduction frontale (principaux muscles : deltoïdes)

EXEMPLE DE ROUTINE DÉCOMPOSÉE

JOUR UN : poitrine et triceps

2 séries de tractions (principaux muscles : poitrine et triceps)
I série d'extensions du bras au-dessus de la tête (principal muscle : triceps)
2 séries d'oiseau, c'est-à-dire les bras qui s'ouvrent et se referment sur la poitrine, avec des poids dans les mains (principal muscle : poitrine)

JOUR DEUX : dos, épaules et biceps

2 séries d'extension dorsale prise large (principaux muscles : dos et biceps)
I série de flexion des biceps (principaux muscles : biceps)
I série d'abduction latérale (principaux muscles : deltoïdes)
I série d'abduction frontale (principaux muscles : deltoïdes)

Il faut remarquer que les exercices combinés d'un groupe de muscles doivent s'effectuer avant les exercices ciblés. Cela permet de fournir toute la force nécessaire lors de l'exercice le plus fonctionnel et réduit le risque de blessures. Si vous vous sentez fatigué au cours de l'exercice ciblé, diminuez tout simplement la quantité de poids que vous avez posés.

Si vous choisissez d'effectuer une routine décomposée, cela signifie que vous ferez deux fois plus d'exercices que si vous choisissiez une routine classique. Toutefois, la routine classique exige plus de temps puisque tout le corps doit être sollicité et non pas quelques parties. Mais quelle que soit la routine que vous choisirez d'effectuer, les muscles doivent se reposer au moins 48 heures entre les séances.

Tractions

Extension du bras au-dessus de la tête

Extension dorsale prise large

Flexion des biceps

Abduction latérale

Abduction frontale

Oiseau

Y a-t-il un équipement approprié?

Certains exercices expliqués au chapitre quatre ne nécessitent aucune forme de charge externe. Ce sont plutôt des exercices où c'est le poids du corps qui a le rôle de charge, ce qui facilite un accroissement de la taille des muscles proportionnellement à la taille du corps. En exécutant ces exercices, faites autant de répétitions que possible tout en maintenant une bonne posture et en appliquant une bonne technique.

La liste d'exercices présentée au chapitre quatre inclut également des exercices que l'on peut exécuter sur des appareils si on y a accès. Mais si vous n'y avez pas accès, il n'y a pas lieu de s'inquiéter: pour chaque groupe de muscles, deux exercices différents sont offerts, afin de vous donner le choix. Si vous pensez que vous devriez utiliser des poids pour certains exercices et que vous n'y avez pas accès, remplacez-les

tout simplement par des bouteilles d'eau que vous aurez auparavant remplies de sable ou d'eau ou par des sacs de sable. Si vous êtes en mesure d'utiliser l'équipement fourni par une salle d'entraînement, vous avez le choix d'utiliser soit des poids libres, soit des appareils. Les appareils sont plus indiqués pour les débutants puisqu'ils présentent moins de risques de blessures et que pour effectuer les exercices efficacement, il ne suffit que d'un minimum de savoir-faire. Une fois que vous aurez atteint un niveau adéquat de savoir-faire, il est bon d'inclure quelques poids libres dans votre programme puisque ce mode d'entraînement est assurément plus fonctionnel. Autrement dit, ce mode permet au corps de se mouvoir naturellement au cours de l'exécution des exercices, alors que les appareils exigent que vous respectiez une seule position à laquelle vous êtes tenu tout au long de l'exercice.

En résumé

- Endurance musculaire: de 18 à 20 répétitions; début de la fatigue à la 14e ou 15e répétition.
- Acquisition de force musculaire: de 10 à 12 répétitions; début de la fatigue à la 7e ou 8e répétition.
- Les séries uniques de répétitions sont efficaces si vous vous concentrez et appliquez la bonne technique.
- Si vous décidez de faire plus d'une série de répétitions, exécutez-les l'une à la suite de l'autre, en vous accordant une courte période de récupération (de 30 secondes à quelques minutes) entre chacune d'elles. Autre possibilité: une série de répétitions pour un exercice en particulier suivie d'une série de répétitions pour un autre exercice. Alternez le cycle des séries.
- Faites des exercices combinés afin qu'ils soient plus fonctionnels et afin de faire travailler plus d'un muscle à la fois.
- Faites des exercices ciblés pour varier et pour des gains musculaires bien précis.
- Pour maximiser vos gains musculaires, exécutez votre routine au moins trois fois par semaine. Si vous êtes à court de temps, deux fois devraient suffire.
- Choisissez de suivre une routine classique (les mêmes parties du corps sollicitées chaque fois) ou une routine décomposée (différentes parties du corps différents jours de la semaine).

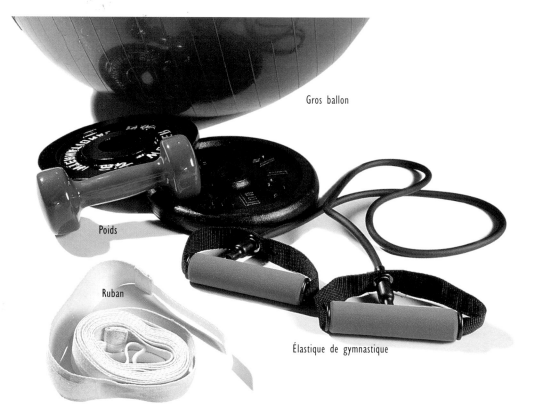

Gros ballon

Poids

Ruban

Élastique de gymnastique

Haltères

Poids pour poignets
ou pour chevilles

ENTRAÎNEMENT EN SOUPLESSE : DÉFINITION

Le mot « souplesse » définit l'amplitude de mouvement que peut effectuer une articulation. Certaines personnes sont nées plus ou moins souples que d'autres ; certaines sont devenues plus ou moins souples grâce à une bonne posture ou à cause de l'inactivité ou d'un surentraînement d'un muscle ou d'un groupe de muscles en particulier. À moins d'un handicap particulier ou d'une blessure, il est possible d'explorer tout l'éventail des mouvements que peuvent effectuer les articulations lors d'un entraînement en souplesse sécuritaire.

Entraînement en souplesse : pourquoi ?

Il existe de nombreuses raisons pour lesquelles un entraînement en souplesse fait partie intégrante d'un programme d'exercices. La première de ces raisons : il réduit le risque de blessures, puisque l'étirement d'un muscle qui a été grandement sollicité permet à la tension créée lors de la contraction du muscle de se relâcher et de se dissiper.

Une autre raison a trait à l'équilibre de la posture. Par exemple, les personnes dont la poitrine est excessivement développée risquent d'avoir des bras et des épaules tombants ; leur démarche ressemble alors à celle des primates. Dans ce cas-ci, le fait de développer encore plus la poitrine sans faire d'étirements ne fera qu'accentuer le déséquilibre de la posture. Il serait ainsi tout indiqué de fortifier les muscles du dos et d'étirer la poitrine jusqu'à ce que la force du dos soit équivalente à celle de la poitrine.

Une troisième raison : une mobilité accrue, qui peut conduire à une meilleure coordination. Les autres avantages d'un entraînement en souplesse comprennent une diminution de la douleur musculaire provoquée par les exercices, une meilleure prise de conscience du corps, une meilleure détente musculaire et une meilleure circulation sanguine.

Tout comme pour les autres types d'entraînement, il vous faut intégrer cette composante du conditionnement physique graduellement. Mais n'oubliez pas que l'amélioration de la flexibilité du corps est un processus plus lent que celui de l'amélioration de la force ou de la forme cardiovasculaire. Cette forme d'entraînement requiert bien plus d'engagement et de dévouement que les autres, mais cela en vaut vraiment la peine.

Entraînement en souplesse : quand ?

Si votre entraînement en souplesse constitue l'une des composantes de votre programme général d'exercices, il est préférable de l'exécuter à la toute fin puisque votre objectif est d'étirer les muscles qui sont habituellement raides ou qui viennent juste d'être sollicités au cours de vos exercices.

La flexion avant est un exercice d'étirement ciblé qui permet la relaxation complète du corps.

L'étirement latéral en position debout est un exercice combiné qui améliore la flexibilité du corps.

Si un entraînement en souplesse est la seule composante de votre programme d'exercices, assurez-vous de faire des exercices d'échauffement auparavant, puisque des muscles réchauffés répondent mieux que des muscles froids. Certains étirements vous sembleront inconfortables. Mais si vous ne ressentez aucune douleur, essayez de garder le muscle étiré pendant au moins quelques secondes au début. Lorsque vous vous étirez, ne donnez pas de petits coups et n'oubliez pas de bien respirer tout au long de l'étirement : plus votre corps est détendu, plus l'exercice vous semblera facile à faire et plus vous pourrez approfondir l'étirement. Faire des étirements au cours de la journée, au travail, en regardant la télévision ou en lisant, peut être également très bénéfique si vous en êtes conscient et que vous suivez les recommandations. Une séance d'étirements après être resté assis ou avoir été debout pendant une longue période de temps peut aider à dissiper le malaise associé à une absence de mouvement.

Entraînement en souplesse : comment ?

Pendant vos exercices d'étirement, il est essentiel de respecter le bon alignement du corps. Une liste d'étirements est offerte au chapitre quatre, accompagnée de conseils pour l'application d'une bonne technique ; essayez de les suivre. De nombreux étirements expliqués sont des *étirements combinés*, c'est-à-dire qu'ils sollicitent plus d'un muscle à la fois, alors que d'autres sont des étirements ciblés. Les étirements combinés font gagner beaucoup de temps, alors que les *étirements ciblés* sont plus précis et sont peut-être plus indiqués si vous éprouvez des difficultés avec un groupe de muscles en particulier et que vous savez qu'il vous faut l'étirer, par exemple vos ischio-jambiers.

Étirement : pendant combien de temps ?

Il est recommandé de garder un muscle étiré de 30 à 90 secondes afin d'accroître l'allongement du muscle et d'en obtenir la relaxation ; il faut également faire ces étirements deux ou trois fois par semaine. Cela ne signifie pas pour autant que s'étirer tous les jours a des conséquences négatives ; en fait, ce serait très bénéfique si vous faisiez des étirements pour compenser une certaine raideur de la posture.

En résumé

• Si des exercices d'étirement font partie d'un plus vaste programme d'exercices, faites-les tout à la fin de votre routine.

• Si les étirements sont la seule composante de votre programme d'exercices, échauffez-vous avant de commencer.

• Ne donnez pas de petits coups lorsque vous vous étirez et assurez-vous de bien respirer.

• Pendant vos étirements, le corps doit être bien aligné.

• Si vous éprouvez des douleurs, ne vous étirez pas.

• Gardez un muscle étiré pendant 30 à 90 secondes.

• On peut faire des étirements tous les jours.

Si vous gardez un muscle étiré pendant une période de temps raisonnable, vous sentirez la tension se dissiper dans la zone étirée.

ENTRAÎNEMENT CARDIOVASCULAIRE : DÉFINITION

Selon le Exercise Teachers Academy, le mot « cardiovasculaire » (ou activités aérobiques) se rapporte en général à une forme d'exercices de longue durée, qui combine divers systèmes du corps et qui est exécutée de façon continue à un rythme cardiaque élevé.

Entraînement cardiovasculaire : pourquoi ?

Tout comme les entraînements musculaire et en souplesse, les exercices cardiovasculaires jouent un rôle important dans le développement général d'un bon état de santé et d'une bonne forme physique. Beaucoup de gens sont conscients du rôle bénéfique de cette forme d'activités dans le maintien du poids ; puisque l'embonpoint et l'obésité sont en augmentation un peu partout dans le monde, il est pertinent que vous en compreniez le rôle. Cela dit, il existe des conditions qui ne permettent pas l'exécution d'activité cardiovasculaire, surtout à intensité élevée. Il est essentiel que les personnes dont le style de vie présente des risques (voir Dépistage, page 17) ou qui ont reçu un diagnostic de maladie associée à leur style de vie, obtiennent l'approbation d'un médecin avant de commencer un programme d'exercices.

Le American College of Sports Medicine a compilé quelques principes directeurs cardiorespiratoires, qui indiquent les avantages que l'on peut retirer si on décide d'accroître sa forme cardiovasculaire :

- diminution de la fatigue au cours des activités quotidiennes
- accroissement du rendement au travail, dans les sports et loisirs
- diminution des risques de :
  mortalité causée par toutes sortes de conditions

Les exercices cardiovasculaires diminuent le risque de maladies et améliorent le fonctionnement du système immunitaire.

insuffisance coronaire

cancer (colon, sein)

hypertension (tension artérielle élevée)

diabète de type II (non insulinodépendant)

ostéoporose

anxiété

dépression

- baisse du taux de cholestérol
- amélioration du fonctionnement du système immunitaire
- hausse de la tolérance au glucose (le glucose est le résultat produit par les hydrates de carbone, il pénètre le sang et est une source d'énergie pour le corps)
- amélioration de l'acceptation de l'insuline (l'insuline est une hormone que le corps libère pour stabiliser les niveaux de sucre / glucose dans le sang)
- amélioration de la constitution corporelle (plus de masse musculaire maigre que de masse adipeuse)
- accroissement du sentiment de bien-être
- diminution de la tension artérielle à différentes étapes des exercices

Quel est votre objectif ?

L'une des questions les plus importantes à

laquelle il vous faut répondre lorsque vous songez à mettre au point un programme d'exercices cardiovasculaires est celle de savoir si vous désirez simplement améliorer votre état de santé général ou si vous désirez vous mettre en forme.

Ce sont deux concepts différents : vous pouvez faire des exercices pour être en meilleure santé et non pas pour nécessairement accroître votre niveau de forme physique. L'option que vous choisirez dépend des objectifs que vous vous êtes fixés dans votre programme d'activités physiques. Le American College of Sports Medicine et le Center for Disease Control and Prevention ont émis un communiqué commun : « Tous les adultes américains devraient consacrer au moins 30 minutes à une activité physique d'intensité modérée, la plupart des jours de la semaine, sinon tous. » Ce communiqué porte sur les avantages de base de l'activité cardiovasculaire pour la santé (voir Comment améliorer son état de santé, page 33). Si vous

désirez améliorer votre niveau de forme physique, l'intensité des exercices doit être plus élevée.

Entraînement cardiovasculaire : combien d'exercices, à quelle fréquence, selon quel degré de difficulté ?

L'intensité de l'exercice est déterminante dans un programme d'entraînement cardiovasculaire. Lorsque vous évaluez votre rythme cardiaque, le résultat vous permettra de mieux comprendre comment votre cœur s'adapte à l'activité que vous êtes en train d'exécuter et de quelle manière votre cœur se fortifie à mesure que vous avancez dans votre programme. Consultez la page 103 pour obtenir des détails quant au contrôle du pouls et à la forme physique.

La présente section vous offre quelques directives dont vous pouvez vous servir pour mettre au point un programme d'exercices cardiovasculaires. Ce genre de

programme est plus strict et structuré, il exige un plus grand engagement de votre part, plus de motivation et d'énergie qu'un programme tout simplement conçu pour être en meilleure santé, mais ses avantages sont assurément bien plus considérables.

Après avoir répondu aux questionnaires du chapitre deux, vous en êtes peut-être arrivé à la conclusion que vous désirez atteindre des buts bien précis. Vous pouvez tirer profit des renseignements qui suivent pour développer le cœur de votre programme d'exercices, mais n'oubliez pas que vous êtes unique et que par conséquent, vous préférerez peut-être une approche différente, à laquelle vous réagirez différemment. Faites les tests et jouez avec les différentes variables pour savoir ce que vous préférez. (Voir page 31, Comment s'exercer efficacement ?)

Si l'idéal consiste à faire des exercices chaque jour, faire autant d'exercices à intensité élevée n'est pas du tout recommandé.

S'exercer au rythme de la musique est une façon pratique et amusante d'accroître ses habiletés de coordination.

Essayez de varier les séances d'exercices de façon à ce que l'intensité soit différente chaque jour. Par exemple, vous aimeriez perdre quelques kilos et être en meilleure forme physique. Vous êtes prêt à consacrer 40 minutes par jour à faire des activités physiques sauf le dimanche, où vous apprécieriez un petit congé d'exercices ou préféreriez faire une longue promenade dans la forêt, le long de la plage ou dans les montagnes.

Voici un modèle de programme de six jours :

PROGRAMME DE SIX JOURS, NIVEAU INTERMÉDIAIRE / AVANCÉ

Lundi :
40 minutes de bicyclette stationnaire à intensité élevée dans une salle d'entraînement

Mardi :
20 minutes de course à intensité modérée, suivies de 20 minutes d'entraînement musculaire et d'étirements

Mercredi :
30 minutes d'une combinaison d'activités à intensité élevée : bicyclette stationnaire, tapis roulant, simulateur d'escalier, suivies de 10 minutes d'étirements

Jeudi :
Comme mardi

Vendredi :
Comme lundi

Samedi :
20 minutes de natation à intensité modérée, suivies de 20 minutes d'entraînement musculaire

Et si vous ne pouvez consacrer qu'une heure à des exercices, trois fois par semaine, voici le programme recommandé de trois jours :

PROGRAMME DE TROIS JOURS

Lundi :
40 minutes de bicyclette stationnaire à intensité élevée à la salle d'entraînement, suivies de 15 minutes d'entraînement musculaire puis de 5 minutes d'étirements

Mercredi :
35 minutes d'une combinaison d'activités à intensité élevée : bicyclette stationnaire, tapis roulant, simulateur d'escalier, suivies de 15 minutes d'entraînement musculaire puis de 10 minutes d'étirements

Vendredi :
Comme lundi

Remarquez bien que les trois séances d'entraînement se font à intensité élevée, tout simplement parce qu'une autre activité effectuée au cours de la journée ou de la semaine sera probablement d'intensité faible à modérée.

Si vous remarquez que votre programme cardiovasculaire vous ennuie, vous pourriez réduire la durée de vos séances et les alterner avec des séances d'entraînement musculaire ; par exemple : deux fois 15 minutes de bicyclette stationnaire, suivies de 10 minutes de musculation. N'oubliez pas que si votre objectif est d'être en forme plutôt que de perdre quelques kilos, il vous faut stimuler

la capacité d'endurance de votre corps ou effectuer des activités aérobiques continues d'une durée prolongée.

Pour les personnes qui choisissent de faire des exercices pour être en meilleure forme physique, une petite mise en garde : parmi les recommandations vous permettant d'amorcer un changement de style de vie, adoptez celles qui visent des fins de santé seulement (voir page 33). Bien trop souvent, il arrive que les personnes qui s'exercent oublient de le faire le reste de la journée parce qu'elles pensent qu'au cours des périodes de temps consacrées à faire des exercices structurés, elles ont fait ce qui est exigé en termes de dépenses d'énergie et de mouvements. Résultat : leur programme de conditionnement physique ne témoigne pas de l'approche holistique d'un style de vie actif. Vous ne devriez pas trop dépendre de vos séances d'exercices structurés pour être en meilleure santé parce que surviendront sans doute des moments où vous ne pourrez pas faire ces exercices (parce que vous êtes malade ou blessé ou encore parce que vous êtes en voyage, par exemple) ; par conséquent, explorer d'autres méthodes d'activité ne présente que des avantages.

Quel type d'activités devriez-vous choisir ?

Afin de choisir une activité aérobique qui vous convient, il se peut que vous ayez à tester différents modes d'activités avant de vous fixer sur le meilleur d'entre eux. Souvenez-vous que vous désirez stimuler le corps de différentes manières et ne voulez pas sombrer dans l'ennui ; il vous faut donc garder quelques portes ouvertes.

Vous choisirez peut-être de faire des exercices où le poids du corps entre en jeu, la marche ou la course par exemple, au cours desquels le poids du corps réagit

La natation est une activité à faible impact, où le poids du corps n'entre pas en ligne de compte, excellente pour un bon entraînement cardiovasculaire.

à la gravité; ou vous choisirez des exercices où le poids ne joue aucun rôle, la nage ou le vélo par exemple, au cours desquels la réaction du corps face à l'absence de gravité est différente. Si vous souffrez d'embonpoint ou que la condition de vos articulations ou os limitent vos activités, il est peut-être conseillé de choisir la deuxième catégorie d'exercices, celle où le poids du corps ne joue aucun rôle: vous en retirerez les mêmes avantages sans vous soumettre à des risques de blessures.

Si vous souffrez d'ostéoporose ou que vous risquez d'en souffrir, les exercices où le poids du corps joue un rôle sont plus bénéfiques, parce qu'une plus grosse charge sur les os permet d'accroître la densité osseuse. Cela ne veut pas du tout dire qu'il ne faut pas faire d'exercices en l'absence de gravité, mais cela signifie que quand bien même vous préférez les exercices sans gravité, il vaudrait mieux inclure des activités avec gravité dans votre programme.

Demandez-vous aussi si vous préférez des activités à *impact élevé* (les deux pieds décollés du sol en même temps) ou à *faible impact* (un pied toujours en contact avec le sol). Ces expressions se rapportent à l'impact ressenti par le squelette au cours d'une activité donnée.

Consultez le tableau ci-dessous pour obtenir des exemples des différents types d'exercices.

Comment s'entraîner?

Il existe différentes manières de s'entraîner:

entraînement continu, par intervalles, Fartlek.

L'*entraînement continu* signifie que les efforts fournis lors d'une activité cardiovasculaire demeurent constants. Il s'agit d'une bonne façon de commencer un programme d'entraînement puisqu'il permet d'établir une base de conditionnement physique à partir de laquelle on peut stimuler davantage le corps.

IMPACT ÉLEVÉ	FAIBLE IMPACT Avec gravité	FAIBLE IMPACT Sans gravité
• course, jogging • volleyball • gymnastique rythmée • aérobique à impact élevé • danse classique et danse moderne • sports de ballon sur terrain	• marche • surf • patin à glace et à roues alignées • aérobique à faible impact • danse sociale • ski ou ski nautique	• sports nautiques (où le corps est en suspension) • vélo • natation • nage synchronisée • aviron

L'*entraînement par intervalles* se rapporte à des cycles répétitifs, souvent chronométrés, d'efforts et de repos. Par exemple : un sprint d'une minute suivi d'une pause de 30 secondes et ainsi de suite plusieurs fois.

L'*entraînement Fartlek* tire son nom d'un athlète suédois et se rapporte à des exercices à intensité élevée et faible, sans contrainte de durée. Cette méthode est très agréable puisqu'elle n'est pas structurée, mais elle ne convient pas véritablement aux débutants.

L'entraînement en mode continu sert d'introduction lente et sécuritaire à un programme d'exercices cardiovasculaires et à une meilleure forme physique, mais l'entraînement par intervalles et l'entraînement Fartlek sont tout indiqués pour ceux qui sont à court de temps ou que les activités répétitives ennuient. Ces deux méthodes offrent un excellent entraînement d'activités combinées pour le cœur puisqu'elles intègrent des périodes d'intensité élevée suivies de périodes à faible intensité, forçant ainsi le cœur à s'adapter à un large éventail de rythmes.

En résumé

- Choisissez soit des activités où le poids du corps joue un rôle (le poids du corps réagit à la gravité ; par exemple la course), soit des activités où le poids du corps ne joue aucun rôle (le corps ne réagit pas à la gravité ; par exemple la natation).
- Choisissez des activités à impact élevé (course) ou à faible impact (marche).
- Commencez un programme d'exercices par des activités continues (constance de l'effort) puis, lentement, intégrez l'entraînement par intervalles (cycles répétés d'efforts et de repos de durée déterminée) et, plus tard, l'entraînement Fartlek (périodes d'exercices à intensité élevée et à faible intensité, de durée indéterminée).
- Stimulez votre cœur en effectuant différentes activités selon différentes intensités lors de chaque séance d'entraînement.

À gauche : Le volleyball est une activité à impact élevé.
Ci-dessous : Le surf est une activité à faible impact, où le poids du corps doit réagir à la gravité.

Aller marcher en groupe constitue une bonne motivation pour faire des exercices avec des personnes tout aussi engagées que vous, dans un contexte de convivialité.

CATÉGORIES PARTICULIÈRES
Personnes âgées

Pour les personnes âgées, l'entraînement musculaire joue un rôle important dans l'amélioration générale de leur bien-être et de leur état de santé. En vieillissant, nous avons tendance à ralentir, à en faire moins physiquement, et ce, pour un certain nombre de raisons. D'une part, nous croyons que nous devons ralentir. Mais bien qu'il soit important de faire preuve de discernement en reconnaissant les limites liées à l'âge, il est tout aussi important de demeurer actif en abordant les années de l'âge d'or.

D'autre part, nous ralentissons le rythme à cause de la vie sédentaire que nous menons, nous devenons moins mobiles ou moins souples et il nous est ainsi plus difficile de faire bouger notre corps, même lors des plus simples activités de la vie quotidienne.

C'est l'une des raisons pour lesquelles il est très important que le programme d'entraînement inclue des exercices de souplesse, et ce, peu importe l'âge.

L'entraînement musculaire, plus particulièrement les exercices contre une résistance, permet de réduire la perte de masse osseuse qui commence à se produire une fois passé le cap des 35 ans, âge auquel est atteint le pic de masse osseuse. De cette façon, l'on peut éviter très tôt les risques d'ostéoporose. Par ailleurs, l'entraînement musculaire aide beaucoup à gérer cette maladie puisque des muscles forts peuvent soulager le stress aux articulations atteintes. Il a aussi été démontré que l'entraînement musculaire réduit la perte de masse osseuse et augmente la densité osseuse. De plus, une force et une stabilité générales accrues, conduisant à un

meilleur équilibre, aident à prévenir les fractures provoquées par les chutes.

Si vous êtes âgé de plus de 65 ans et que vous étiez sédentaire jusqu'à présent, il n'est pas indiqué d'effectuer ce type d'entraînement plus de deux ou trois fois par semaine, puisque le risque de blessures aux articulations pourrait être bien plus important que les quelques gains acquis à la suite de séances d'exercices plus fréquentes. En réalité, même si vous étiez actif physiquement jusqu'à présent, un programme qui comprendrait des exercices de musculation trois fois par semaine est suffisant pour maintenir la force musculaire. Il vous suffit d'intégrer une période d'échauffement et une période de récupération un peu plus longues (de 10 à 15 minutes) et de diminuer l'intensité et le nombre de répétitions des exercices par rapport à ce qui est recommandé pour la population adulte en général (voir page 37). Par ailleurs, pendant les huit premières semaines de votre programme, la charge devrait être plus légère pour permettre à vos muscles de bien réagir.

Si vous cherchez à stimuler davantage le corps, commencez par accroître le nombre de répétitions avant d'accroître la charge avec laquelle vous effectuerez les exercices. Gardez les poids qui vous permettent de faire au moins six répétitions d'un exercice et travaillez selon l'amplitude de mouvements permise par vos articulations, de façon à ne pas faire d'exercices dans la douleur. Concentrez-vous plus particulièrement sur les exercices portant sur la stabilisation du torse, présentés au chapitre quatre (voir page 60), puisque le maintien d'une bonne posture est encore plus important lorsqu'on vieillit.

Mais tout comme des muscles relativement forts et des articulations souples sont importants, la forme cardiovasculaire joue elle aussi un rôle très important dans le fonctionnement général du corps et dans le maintien d'un bon état de santé. Il est bon de souligner que si, jusqu'à présent, votre style de vie était sédentaire, vous devez aborder un nouveau programme d'exercices avec prudence, pour permettre à votre corps de bien réagir aux nouveaux stimulants.

Tout comme pour l'entraînement musculaire, intégrez une période de réchauffement et une période de récupération plus longues et soyez conscient de vos propres limites. Ces limites, qui peuvent aller d'une faible mobilité des articulations à l'arthrite, auront des conséquences sur le genre d'activités que vous choisirez d'effectuer. Dans ce cas, les exercices où le poids du corps ne réagit pas à la gravité (le vélo ou la natation) sont préférables aux exercices où le corps doit répondre à la gravité (la marche ou la course).

Bien qu'il soit conseillé de diminuer l'intensité de l'entraînement (de 40 à 65 pour cent du pouls maximal, voir page 103), il est fort bénéfique d'être aussi actif que possible (de cinq à sept jours par semaine), pendant 20 à 40 minutes chaque fois. Ces périodes d'activité peuvent être décomposées en séances de 15 minutes, deux ou trois fois par jour.

Assurez-vous d'obtenir l'approbation de votre médecin avant de commencer un programme d'exercices, de façon à ce que tout problème de santé qui pourrait survenir soit résolu à temps. Il est aussi important de connaître et de comprendre son corps, savoir dans quel état il se trouve pour que vos limites soient prises en compte ou que vous sachiez que votre corps est en bonne santé.

Essayez si possible d'entrer en contact avec un entraîneur personnel qui se spécialise dans l'entraînement physique des personnes âgées : un spécialiste vous offrira un programme d'entraînement personnalisé et par conséquent plus efficace, et vous en retirerez de grands avantages.

L'activité physique joue un rôle essentiel dans la vie d'une personne, peu importe son âge. Un entraîneur qui se spécialise dans le conditionnement physique des personnes âgées vous offrira un programme sur mesure.

LES FEMMES ENCEINTES

Il est essentiel d'obtenir l'approbation de votre médecin avant de vous lancer dans un programme d'activités physiques. Il existe des contre-indications à l'exercice physique pendant la grossesse (voir tableau à droite), mais si celles-ci ne s'appliquent pas à vous et que vous faites des exercices régulièrement, allez de l'avant et continuez. Si vous étiez auparavant inactive, il n'est pas conseillé de faire des exercices au cours du premier trimestre de la grossesse. Soyez patiente et commencez lentement, au début du deuxième trimestre.

ENTRAÎNEMENT MUSCULAIRE : RECOMMANDATIONS

Cette composante d'un programme d'exercices peut être très bénéfique pour les femmes enceintes. En développant des muscles plus forts, vous aidez votre corps à compenser les changements de posture qui se produisent en général lorsqu'on est enceinte. Cela dit, il n'est pas recommandé à toutes les femmes enceintes de faire de l'entraînement musculaire puisqu'il existe un certain nombre de contre-indications. Le tableau de la page 51 dresse la liste des conditions pour lesquelles il est recommandé de ne pas faire d'exercices.

EXERCICES GÉNÉRAUX : RECOMMANDATIONS

Avec votre médecin, discutez des objectifs que vous vous êtes fixés pendant votre grossesse et suivez les grandes lignes suivantes :

- Ne vous lancez pas dans un programme vigoureux d'exercices juste avant ou pendant votre grossesse.
- Évitez de faire des exercices sur le dos après le premier trimestre, pour deux raisons : 1) l'influx de sang au fœtus diminue et 2) la capacité du cœur à s'adapter à de nouvelles exigences diminue puisque sa charge de travail est déjà accrue.
- Pendant les deuxième et troisième trimestres, diminuez graduellement l'intensité, la durée et la fréquence des exercices.
- Évitez de faire des exercices lorsqu'il y a beaucoup d'humidité à l'extérieur ou qu'il fait très chaud.
- Marchez ou courez sur des terrains plats.
- Lorsque vous marchez ou courez, portez des chaussures qui offrent un soutien adéquat.
- Si au cours des deuxième et troisième trimestres, la course devient une activité désagréable, essayez d'autres activités aérobiques, par exemple la natation, la course dans l'eau et le vélo.
- Prolongez vos périodes d'échauffement et de récupération.
- Tout de suite après une séance d'exercices, prenez votre température. Si elle dépasse 38 °C (100 °F), modifiez l'intensité et la durée des exercices et effectuez-les dans un environnement où il fait plus frais.
- Pour avoir une idée de l'intensité à laquelle vous effectuez vos exercices, utilisez l'échelle de perception de l'effort (voir page 104) plutôt que votre pouls. Vous devez vous sentir à l'aise avec l'intensité choisie ; diminuez l'intensité si votre cœur bat trop fort, si vous êtes à bout de souffle ou si vous avez des vertiges.

Les activités physiques sont importantes au cours de la grossesse et constituent une excellente façon de soulager le stress pour les futures mamans.

LE AMERICAN COLLEGE OF OBSTETRICS AND GYNAECOLOGY (ACOG) RECOMMANDE DE NE PAS FAIRE D'EXERCICES PENDANT LA GROSSESSE SI:

- la grossesse provoque une tension artérielle élevée
- la perte des eaux est prématurée
- au cours de la grossesse précédente ou actuelle, des contractions prématurées se sont produites
- le col est incompétent (béance cervico-isthmique)
- au cours des deuxième et troisième trimestres, il y a eu des saignements de façon régulière
- un retard de croissance intra-utérin survient

VOICI LES RECOMMANDATIONS DU AMERICAN COLLEGE OF SPORTS MEDICINE À PROPOS DE L'ENTRAÎNEMENT MUSCULAIRE AU COURS DE LA GROSSESSE:

- Ne faites pas d'entraînement musculaire si vous présentez une ou plusieurs des contre-indications présentées par le ACOG quant à des activités aérobiques pendant la grossesse (voir liste ci-dessus)
- Si vous n'avez jamais fait d'entraînement musculaire auparavant, ne commencez pas pendant la grossesse
- Évitez les mouvements brusques (sauts ou rebonds), puisqu'au cours de la grossesse, les tissus conjonctifs et les articulations sont relâchés, ce qui peut accroître le risque de blessures
- Respirez normalement pendant les exercices d'entraînement musculaire puisque l'acheminement de l'oxygène au placenta est réduit lorsqu'on retient sa respiration
- Évitez de manipuler de trop grosses charges puisqu'elles constitueraient de trop grosses forces sur les articulations, les tissus conjonctifs et le squelette. Une série de 12 à 15 répétitions d'un exercice sans fatigue anormale est généralement signe que la résistance est adéquate
- À mesure que vous vous entraînez, accroissez la charge d'abord en augmentant le nombre de répétitions et ensuite, en augmentant la résistance
- Les exercices de musculation sur appareils sont plus indiqués que les poids libres parce que les appareils ne demandent aucune forme particulière de compétence et qu'on peut les contrôler plus facilement
- Cessez tout exercice qui provoque des douleurs ou une gêne et choisissez de faire un autre exercice. Consultez un médecin si vous éprouvez une ou des conditions suivantes:
  - saignements vaginaux
  - douleur ou crampe abdominale
  - perte des eaux
  - pouls élevé ou tension artérielle élevée
  - absence de mouvement fœtal

- Avalez une petite collation avant de commencer votre séance d'exercices afin d'éviter une crise d'hypoglycémie (faible taux de sucre dans le sang).
- Buvez de grandes quantités d'eau, avant, pendant et après la séance d'exercices.
- Essayez de ne pas forcer sur les étirements et de ne pas dépasser l'amplitude normale des mouvements.
- Consultez immédiatement votre médecin si des changements physiques se produisent: saignements vaginaux, fatigue sévère, douleur aux articulations, pouls irrégulier.

Il est conseillé de contacter un entraîneur personnel, spécialiste en exercices pour femmes enceintes. Travailler avec un spécialiste qui vous aidera à mettre au point un programme individualisé ne vous offrira que des avantages.

Avec tous les changements qui se produisent dans votre corps pendant la grossesse, il est très important de vous assurer de faire des exercices avec prudence et en étant consciente des risques possibles.

Si vous vous êtes fixé comme objectif à long terme de participer à une course de 10 kilomètres, votre objectif à court terme serait de commencer à faire du jogging quelques fois par semaine.

COMMENT AMORCER VOTRE PLAN D'ACTION ?

Vous avez maintenant répondu aux questionnaires et rempli les évaluations et grâce à ces informations, vous comprenez les composantes à inclure dans un programme d'activités physiques. Il s'agit de savoir maintenant comment amorcer ce tout nouveau programme.

Tout d'abord, essayez de comprendre pourquoi vous désirez être actif physiquement. Cette question est abordée d'une certaine façon dans l'évaluation portant sur votre style de vie et votre comportement, aux pages 18 et 19. Ne répondez pas au questionnaire pour faire plaisir à un conjoint, un médecin, un parent ou un enfant qui vous harcèle, puisque vous perdrez votre motivation au cours du programme. Vous seul devriez établir vos objectifs : si vous les fixez vous-même, vous y adhérerez plus naturellement, vous vous

y tiendrez et c'est à vous que reviendra le mérite de les avoir atteints.

Objectifs à long terme

Ces objectifs se rapportent à quelque chose qui est atteignable de façon réaliste, souvent un événement ou autre chose qui y ressemble et dont l'achèvement vous remplit d'enthousiasme : par exemple, participer à une course de 10 kilomètres, faire la traversée de l'Afrique à bicyclette ou perdre 5 kilos. Des objectifs à long terme devraient se réaliser sur une période de 4 à 12 mois ; si la période de réalisation dure plus longtemps, vous risquez de perdre la motivation ou le sentiment d'engagement à poursuivre votre programme ; si la période de réalisation est plus courte,

Faites vos exercices avec un ami ou un entraîneur personnel si cela vous aide à continuer votre programme.

vous êtes en terrain glissant puisque c'est au cours des trois premiers mois du démarrage d'un nouveau programme que les personnes ont tendance à abandonner et à laisser tomber.

Objectifs à moyen terme

Ce sont des objectifs qui vous permettent d'atteindre les objectifs à long terme. Par exemple, si votre objectif à long terme est de perdre 8 kilos en quatre mois, votre objectif à moyen terme sera de perdre 2 kilos par mois ; si votre objectif à long terme est de participer à une course de 10 kilomètres dans six mois, votre objectif à moyen terme sera de courir 3 kilomètres à la fin du premier mois, 5 km à la fin du troisième mois, 7,5 km à la fin du cinquième mois, etc.

Déterminez les exercices qui vous plaisent et intégrez-les dans votre programme afin de donner un coup de pouce à votre motivation.

Objectifs à court terme

Il s'agit de petits événements qui facilitent la réalisation des objectifs à moyen terme et peuvent comprendre des actions aussi simples que celle d'aller en salle d'entraînement trois fois par semaine, faire des exercices d'étirement pendant 10 minutes tous les jours, marcher le midi. Assurez-vous que ces objectifs sont réalistes : si vous ne faites pas de pause le midi, ne vous fixez pas comme objectif de marcher pendant une heure, essayez plutôt de marcher d'un pas vif pendant 10 minutes et de vous

habituer graduellement à l'idée de vous réserver du temps pendant votre journée de travail.

Ces objectifs, à court, moyen et long termes composent votre plan d'action. Inscrivez ce plan sur une feuille de papier, retournez-y régulièrement pour vous rappeler vos objectifs. Collez la feuille de papier sur votre miroir, sur le mur de la salle de bain ou dans la voiture. Si vous découvrez que vous traversez une phase difficile et que vous avez des difficultés à atteindre vos objectifs à court terme pendant la semaine, ne paniquez pas : recommencez dès que vous le pouvez. Si vos écarts se produisent fréquemment, il se peut que vous ayez à revoir vos objectifs à court et moyen termes, peut-être même les objectifs à long terme. Ils ne sont peut-être pas aussi réalistes que vous le pensiez. Mais si vous êtes déterminé à conserver les mêmes objectifs qu'au début, il serait peut-être bon d'engager les services d'un entraîneur personnel pour vous aider à les atteindre.

Enfin, et surtout, rappelez-vous de vous récompenser lorsque vous atteignez vos objectifs. Pas nécessairement avec une part de gâteau au chocolat double crème, mais peut-être en vous offrant un nouveau vêtement, en partant pour une fin de semaine, en vous réservant du temps pour vous-même, ou autre chose qui vous emballe. Vous le méritez grandement.

En résumé

- Fixez-vous des objectifs à court, moyen et long termes.
- Inscrivez-les sur une feuille de papier et retournez-y de temps à autre.
- Ne paniquez pas si vous faites des écarts une ou deux fois ; mais si vous en faites régulièrement, réévaluez vos objectifs.
- Récompensez-vous lorsque vous atteignez vos objectifs.

Exercices
à la carte

Après avoir fini de lire le chapitre trois pour vous assurer d'avoir bien compris les principes sur lesquels votre programme d'entraînement devrait reposer, vous pouvez commencer à l'élaborer en choisissant des exercices parmi ceux qui sont présentés dans les pages suivantes. Ces exercices ont été répartis en trois sections : *les exercices de stabilisation, les exercices de musculation* et *les exercices de souplesse*. Puisque la plupart des exercices cardiovasculaires dépendent en grande partie de vos goûts et de ce que vous aimez faire, c'est à vous que revient le choix des exercices à inclure dans votre programme (voir page 46).

Dans la section portant sur la stabilisation du torse, des recommandations particulières sur le nombre de répétitions à effectuer pour chaque exercice vous sont présentées, parce qu'à la fin de chacun de ces exercices, il se peut que vous ne vous sentiez pas épuisé, alors qu'il en sera autrement pour les exercices de musculation. L'objectif des exercices de stabilisation du torse est de vous aider à prendre conscience des muscles stabilisateurs et de les faire travailler : un nombre restreint de répétitions accompagnées de la concentration nécessaire devraient suffire à at-

teindre ce but. Dans les sections portant sur les exercices de musculation et de souplesse, il n'y a pas de recommandations particulières quant au nombre de fois que vous devriez exécuter le mouvement. Reportez-vous au chapitre trois où il est justement question de ce type d'exercices (voir pages 36 et 41). Mais en règle générale, lorsqu'il est question d'exercices de musculation et de souplesse, il est bon de se souvenir des principes suivants :

- exercices d'endurance musculaire : de 18 à 20 répétitions, avec des poids qui commencent à vous fatiguer lorsque vous en êtes à la 14e ou 15e répétition
- développement de la force et de la taille des muscles : de 10 à 12 répétitions, avec des poids qui commencent à vous fatiguer lorsque vous en êtes à la 7e ou 8e répétition
- exercices d'étirement : faites durer l'étirement de 30 à 90 secondes

Il existe des centaines d'exercices de musculation et de souplesse ; ce livre n'en présente cependant que quelques-uns, chacun ciblant une partie bien précise du corps. Deux lignes directrices sont à l'origine de ce choix. En premier lieu, l'exercice choisi doit cibler efficacement les principaux muscles sollicités lors de l'exécution

du mouvement. En deuxième lieu, l'exercice peut être adapté ou reproduit de façon à présenter le plus de variations possible étant donné que tout le monde n'a pas nécessairement accès à une salle d'entraînement.

Cela ne devrait cependant pas vous empêcher de demander à un entraîneur de vous montrer d'autres variantes de ces exercices que vous pourriez intégrer à votre programme. La répétition des mêmes exercices, jour après jour, semaine après semaine, peut se révéler fastidieuse : il est donc recommandé que vous cherchiez d'autres possibilités d'exécution des mouvements pour empêcher que l'ennui ne s'installe. C'est pour cette raison que dans la section portant sur l'entraînement musculaire, des exercices qui s'exécutent sur des appareils vous sont présentés : ils ciblent chaque partie du corps ; vous préférerez peut-être aller les exécuter en salle d'entraînement, si vous y avez accès.

Pour tous les exercices, assurez-vous de faire travailler tous les muscles abdominaux profonds du corps : pour ce faire, rentrez le nombril vers la colonne vertébrale et exécutez le mouvement avec

concentration et contrôle. Le travail de contraction des muscles et celui de relâchement de la charge sur les muscles sont tous deux essentiels : ils devraient s'effectuer à la même vitesse et selon le même degré de concentration. Plus le mouvement sera exécuté lentement et mieux il sera exécuté, puisque cela éliminera tout risque d'élan qui pourrait se produire lorsque vous déplacez le poids du corps ou la charge. Une contraction de trois à cinq secondes est efficace ; il en va de même pour le relâchement : de trois à cinq secondes. Assurez-vous de respirer régulièrement pendant les exercices d'entraînement musculaire ; évitez de retenir votre respiration à cause des efforts que vous devez fournir, cela pourrait accroître votre tension artérielle.

Certains entraîneurs recommandent de fléchir légèrement les genoux pour les exercices qui doivent s'effectuer debout. Le but ici est de protéger le dos puisque le fléchissement des genoux entraîne une antéversion du bassin et étire le dos, c'est-à-dire que le bas du dos n'est pas comprimé. De façon plus pratique cependant, il vaut mieux tendre les jambes sans verrouiller les genoux et se concentrer pour activer et renforcer directement les muscles abdominaux afin qu'ils puissent soutenir le dos. D'une certaine manière, vous les forcez à prendre la responsabilité d'une position optimale du bassin. Le développement des stabilisateurs du bassin vous aidera également dans vos tâches quotidiennes, qu'il s'agisse de porter les enfants, de porter les sacs de provisions, de transporter de lourdes brassées de linge, de pousser la tondeuse à gazon, etc.

Il n'est pas essentiel de s'inscrire à un club de conditionnement physique ; de nombreux exercices peuvent s'exécuter sans aucun équipement.

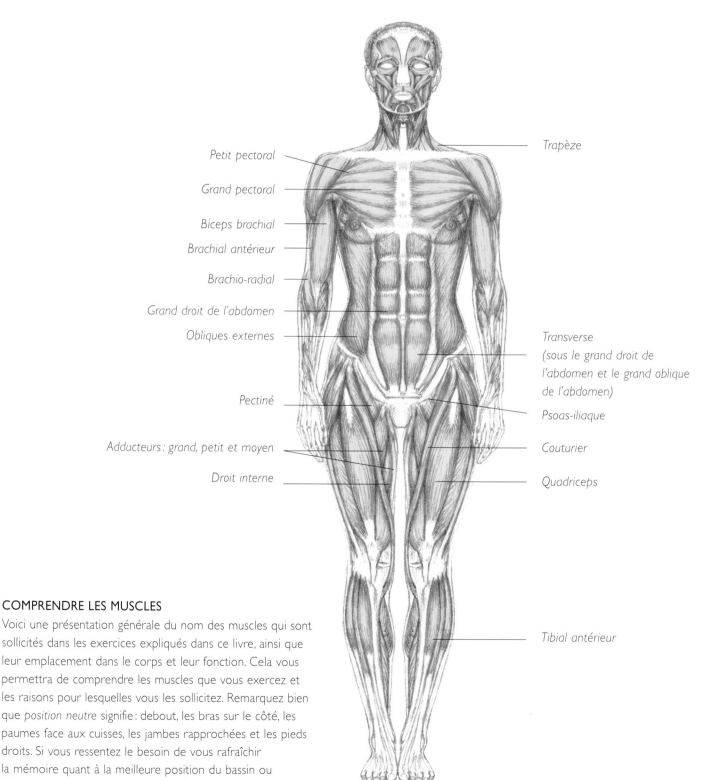

Trapèze

Petit pectoral

Grand pectoral

Biceps brachial

Brachial antérieur

Brachio-radial

Grand droit de l'abdomen

Obliques externes

Transverse
(sous le grand droit de
l'abdomen et le grand oblique
de l'abdomen)

Pectiné

Psoas-iliaque

Adducteurs : grand, petit et moyen

Couturier

Droit interne

Quadriceps

Tibial antérieur

COMPRENDRE LES MUSCLES

Voici une présentation générale du nom des muscles qui sont sollicités dans les exercices expliqués dans ce livre, ainsi que leur emplacement dans le corps et leur fonction. Cela vous permettra de comprendre les muscles que vous exercez et les raisons pour lesquelles vous les sollicitez. Remarquez bien que *position neutre* signifie : debout, les bras sur le côté, les paumes face aux cuisses, les jambes rapprochées et les pieds droits. Si vous ressentez le besoin de vous rafraîchir la mémoire quant à la meilleure position du bassin ou l'alignement neutre, consultez les illustrations de la page 20.

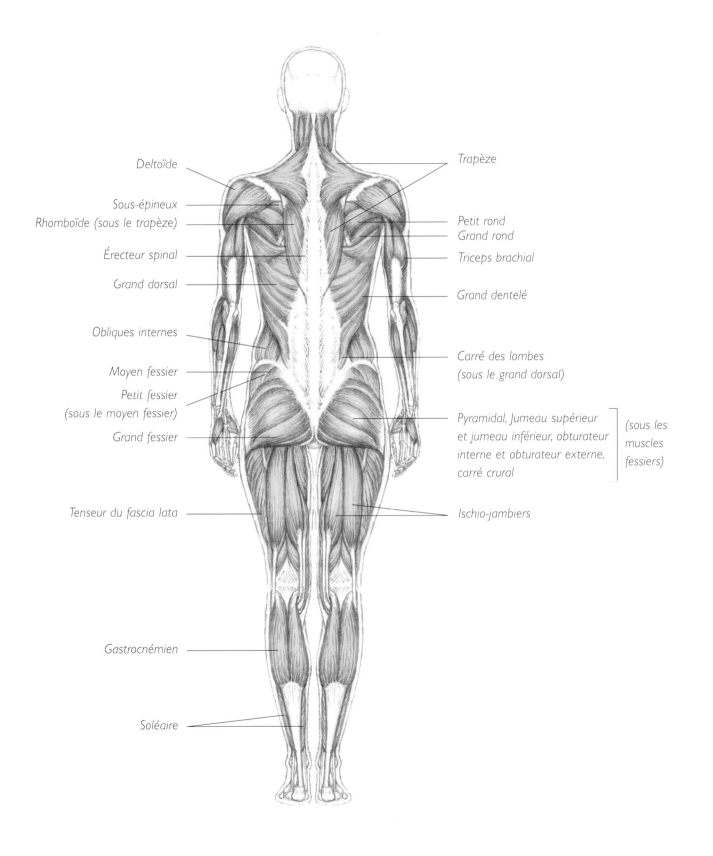

Deltoïde

Sous-épineux

Rhomboïde (sous le trapèze)

Érecteur spinal

Grand dorsal

Obliques internes

Moyen fessier

Petit fessier
(sous le moyen fessier)

Grand fessier

Tenseur du fascia lata

Gastrocnémien

Soléaire

Trapèze

Petit rond

Grand rond

Triceps brachial

Grand dentelé

Carré des lombes
(sous le grand dorsal)

Pyramidal, Jumeau supérieur
et jumeau inférieur, obturateur
interne et obturateur externe,
carré crural

(sous les
muscles
fessiers)

Ischio-jambiers

POITRINE

Muscle: GRAND PECTORAL
Emplacement: poitrine
Fonction: permet la rotation interne (vers l'intérieur) du bras; déplace le bras devant le corps à partir d'une position neutre; permet de croiser les bras devant le corps

Muscle: PETIT PECTORAL
Emplacement: à l'avant de la poitrine
Fonction: sépare les omoplates l'une de l'autre et aide à les abaisser

ÉPAULES

Muscle: DELTOÏDE
Emplacement: épaule
Fonction: permet de lever les bras latéralement, devant et derrière, loin du corps; permet la rotation interne (vers l'intérieur) et externe (vers l'extérieur) des bras

BRAS

Muscle: TRICEPS BRACHIAL
Emplacement: face postérieure du bras
Fonction: permet l'extension du coude et déplace le bras vers l'arrière, loin du corps, à partir d'une position neutre

Muscle: BICEPS BRACHIAL
Emplacement: sur le devant et le haut du bras
Fonction: permet la flexion du coude et la rotation interne de l'avant-bras et permet de lever le bras vers le haut et l'avant du corps

Muscle: BRACHIO-RADIAL
Emplacement: avant-bras
Fonction: permet la flexion du coude et la rotation interne et externe de l'avant-bras

Muscle: BRACHIAL ANTÉRIEUR
Emplacement: avant-bras
Fonction: permet la flexion du coude

DOS

Muscle: TRAPÈZE
Emplacement: haut, milieu et bas du dos, près de la colonne vertébrale
Fonction: soulève, baisse et tire les omoplates l'une vers l'autre

Muscle: CARRÉ DES LOMBES
Emplacement: bas du dos
Fonction: permet de pencher la colonne vertébrale sur le côté; stabilise le bassin et la colonne lombaire

Muscle: GRAND DENTELÉ
Emplacement: à la surface des côtes
Fonction: éloigne les omoplates de la colonne vertébrale et les aplatit sur le dos

Muscle: RHOMBOÏDE
Emplacement: entre les omoplates
Fonction: rapproche les omoplates

Muscle: GRAND DORSAL
Emplacement: milieu et bas du dos
Fonction: permet de ramener les bras vers le corps; les déplace de l'avant du corps vers l'arrière du corps à partir d'une position neutre; permet une rotation interne des bras

Muscle: GRAND ROND
Emplacement: derrière les omoplates
Fonction: déplace les bras vers l'arrière à partir d'une position neutre, permet la rotation interne des bras et rapproche les bras l'un vers l'autre

Muscle: ÉRECTEUR SPINAL
Emplacement: longs muscles le long de la colonne vertébrale
Fonction: permet d'allonger la colonne vertébrale et de la pencher sur le côté

Muscle: SOUS-ÉPINEUX
Emplacement: derrière les omoplates
Fonction: permet la rotation externe des bras et permet de soulever les bras à partir d'une position neutre

Muscle: PETIT ROND
Emplacement: derrière l'articulation des épaules
Fonction: permet la rotation externe des bras et permet de soulever les bras à partir d'une position neutre

ABDOMEN

Muscle: TRANSVERSE
Emplacement: enfoui dans la région abdominale
Fonction: stabilise le bassin

Muscle: OBLIQUES INTERNES ET EXTERNES
Emplacement: taille
Fonction: permettent la rotation du bas de la colonne vertébrale et permettent de pencher le bas de la colonne vertébrale sur le côté et vers l'avant

Muscle: GRAND DROIT DE L'ABDOMEN
Emplacement: à la surface des côtes et du bassin
Fonction: permet de pencher la colonne vertébrale sur le côté et de pencher le bas de la colonne vertébrale vers l'avant

HANCHES

Muscle: PECTINÉ
Emplacement: à l'avant du pubis
Fonction: permet la flexion de l'articulation de la hanche; permet la rotation interne des jambes et les ramène en position neutre

Muscle: PSOAS-ILIAQUE
Emplacement: à l'avant du bassin
Fonction: permet la flexion de l'articulation de la hanche et la rotation externe des jambes

JAMBES

Muscle: ISCHIO-JAMBIERS
Emplacement: face postérieure de la jambe
Fonction: permet la flexion du genou, la rotation externe et interne de la jambe et du genou et la flexion de l'articulation de la hanche

Muscle: QUADRICEPS
Emplacement: face antérieure de la cuisse
Fonction: permet la flexion de l'articulation de la hanche et l'extension du genou

Muscle : TENSEUR DU FASCIA LATA
Emplacement : face externe de la cuisse
Fonction : déplace les jambes
latéralement à partir d'une position
neutre ; permet la flexion de l'articulation
de la jambe et simultanément, la rotation
interne des jambes

Muscle : ADDUCTEURS (GRAND,
PETIT ET MOYEN)
Emplacement : face interne de la cuisse
Fonction : ramènent les jambes à la
position neutre ; permettent la rotation
externe des jambes et la flexion de
l'articulation de la hanche

Muscle : DROIT INTERNE
Emplacement : face interne de la cuisse
Fonction : ramène les jambes à la
position neutre ; permet la flexion des
genoux et la rotation interne des jambes

FESSES

Muscle : moyen fessier
Emplacement : côté des fesses
Fonction : déplace les jambes
latéralement à partir d'une position
neutre ; permet la rotation interne
et externe des jambes

Muscle : GRAND FESSIER
Emplacement : fesses
Fonction : permet l'extension de
l'articulation de la hanche et la rotation
externe des jambes

Muscle : PETIT FESSIER
Emplacement : côté des fesses
Fonction : déplace les jambes
latéralement à partir d'une position
neutre et effectue une rotation
simultanée des jambes

Muscles : PYRAMIDAL, JUMEAU
INFÉRIEUR ET JUMEAU SUPÉRIEUR,
OBTURATEUR INTERNE ET
OBTURATEUR EXTERNE, CARRÉ
CRURAL
Emplacement : fesses
Fonction : permettent la rotation
externe de la hanche (jambe)

MOLLETS

Muscle : GASTROCNÉMIEN
Emplacement : mollet
Fonction : dirige les pieds et permet
le fléchissement des genoux

Muscle : SOLÉAIRE
Emplacement : mollet
Fonction : dirige les pieds

Muscle : TIBIAL ANTÉRIEUR
Emplacement : tibia
Fonction : permet la flexion des pieds,
ramène les orteils vers le tibia ; permet
l'adduction du pied (pied rentré à
l'intérieur) ou la supination du pied
(pied tourné vers l'extérieur)

Stabilisation du torse

Position debout

La position debout est la posture optimale pour commencer un exercice qui s'effectue debout. Prenez cette position aussi souvent que possible au cours de la journée afin de faire travailler les principaux stabilisateurs de la posture.
Permet de : prendre conscience de sa posture

Exécution du mouvement

Pieds : Répartissez bien le poids de votre corps sur les pieds, devant et derrière, vers l'intérieur et l'extérieur, pied droit et pied gauche. Gardez les talons collés au sol tout en imaginant lever les chevilles et les os du tibia.

Jambes : Remontez les muscles avant de la cuisse et tournez la face interne de la cuisse vers l'intérieur (dans le sens contraire des aiguilles d'une montre pour la jambe droite et dans le sens des aiguilles d'une montre pour la jambe gauche, ce qui correspond à l'inverse de l'en-dehors de la danse classique). Prenez conscience de la rotation simultanée de la face externe des cuisses. Cette position des jambes permettra d'ouvrir le bas du dos en y créant un espace. Lorsqu'il y a rotation des jambes vers l'extérieur, le bas du dos a tendance à être comprimé.

Tronc : Allongez la taille et soulevez la cage thoracique. Attention, il ne faut pas faire saillir les côtes. Les épaules doivent être ramenées vers l'arrière, les omoplates aplaties sur le dos. Le bassin doit être en position neutre, les épaules et les bras détendus.

Cou : Allongez le cou et placez la tête bien au-dessus des jambes ; le menton doit être parallèle au plancher, ne le rentrez pas et ne le projetez pas en avant.

En équilibre sur un ballon d'exercices

Permet de : prendre conscience de sa posture et la renforcer

Exécution du mouvement

Débutants : Asseyez-vous sur un ballon d'exercices ; les mains sont sur les côtés et ne touchent pas le ballon ; les pieds sont au sol, les chevilles directement sous les genoux. Faites travailler vos stabilisateurs abdominaux en rentrant votre nombril vers la colonne vertébrale et assurez-vous que le bassin est en position neutre.

Niveau intermédiaire / avancé : La position de départ est la même. Soulevez lentement un genou, jusqu'à ce que le pied soit à 15 cm du sol. Assurez-vous que la colonne vertébrale est en position neutre : elle ne doit pas être inclinée sur le côté, vers l'avant ou vers l'arrière. Assurez-vous également que les hanches et les épaules sont bien droites et dirigées vers l'avant. Tenez le genou levé pendant deux secondes avant de l'abaisser lentement. Recommencez l'exercice avec l'autre genou. Le menton doit être parallèle au sol.

Répétitions : 5 ou 6 fois pour chaque genou.

Dos au ballon

Permet de: accroître la mobilité de la colonne vertébrale. De nombreuses personnes semblent avoir un bas du dos assez rigide: lorsqu'on leur demande de se tenir debout, de rouler le torse vers l'avant et d'essayer d'aller atteindre le sol, elles plient les hanches plutôt que la colonne vertébrale. Des muscles du dos tendus, une blessure ou des problèmes de disques intervertébraux sont peut-être à l'origine de ce problème, mais quelles que soient les raisons, la colonne vertébrale est devenue moins mobile.

Exécution du mouvement

Debout. Le ballon d'exercices est collé au mur et placé sur le bas du dos. Vos pieds doivent être écartés et être placés devant le corps, en position semi-accroupie. Commencez par rentrer le menton, puis faites rouler la tête, le cou et la colonne vertébrale vers le bas, en direction des pieds, jusqu'à ce que les mains touchent presque le sol, tout en vous assurant que le bas du dos reste toujours collé au ballon aussi longtemps que possible. Assurez-vous que le bas du dos ne s'aplatit pas et que vos jambes ne sont pas davantage pliées qu'au début de l'exercice. Remontez de la même façon. Votre nombril devrait être rentré vers la colonne vertébrale tout le temps que dure l'exercice.

Répétitions: 5 ou 6 fois.

Autre possibilité d'exécution: Faites l'exercice avec un plus petit ballon.

Roulement du ballon vers l'avant

Permet de: renforcer les muscles abdominaux, le dos, le bassin et la région des épaules.

Exécution du mouvement

Niveau intermédiaire/avancé: Agenouillez-vous, les jambes légèrement écartées, devant un ballon d'exercices, les avant-bras posés sur le ballon. Rentrez le nombril vers la colonne vertébrale, baissez les épaules et assurez-vous que le bassin est en position neutre. Lentement, commencez à rouler le ballon vers l'avant tout en gardant la position neutre du bassin. Revenez à la position de départ et refaites l'exercice. Assurez-vous que tout au long de l'exercice, le bas du dos n'est pas cambré.

Répétitions: 5 ou 6 fois.

Stoppeur

Permet de : renforcer le milieu et le bas des trapèzes. Les trapèzes (un de chaque côté) ont la forme d'un cerf-volant (voir pages 56 et 57). Le haut du muscle, la plus petite partie, a tendance à être plus sollicité que le bas du muscle, la partie la plus large. Généralement, une mauvaise posture et le fait d'être assis derrière un bureau conduisent à ce déséquilibre, le haut du dos étant ainsi plus tendu. Un cou et des épaules tendus peuvent être à l'origine d'une raideur générale, d'un certain inconfort et de maux de tête. Parallèlement, le milieu et le bas du dos, n'étant pas redressés, ont tendance à être étirés, d'où la faiblesse de ces muscles au fil du temps.

Exécution du mouvement

① **Débutants :** Debout, face à un mur, les coudes pliés en angle droit, sous la hauteur des épaules, les paumes de la main touchant légèrement le mur. Rentrez le nombril vers la colonne vertébrale et tirez lentement les omoplates vers le bas, en direction des fesses, en prenant bien garde de ne pas laisser retomber les coudes. Maintenez la position en comptant lentement jusqu'à quatre et relâchez.

② **Niveau intermédiaire :** Allongez-vous à plat ventre, sur un banc de gymnastique étroit ou sur le coin d'un lit ou d'une table, les bras retombant en direction du sol. Levez lentement les bras sur le côté puis devant vous jusqu'à ce que les coudes soient pliés en angle droit, au-dessous du niveau des épaules. Les paumes de la main doivent être face à la tête, le pouce dirigé vers le plafond (d'où le nom de l'exercice, le Stoppeur). Les épaules et le cou doivent être tout à fait détendus. Toujours dans cette position, tirez les omoplates vers les fesses. Maintenez la position en comptant lentement jusqu'à quatre et relâchez les bras au sol.

Répétitions : de 10 à 12 fois.

③ **Niveau avancé :** Tout comme pour le niveau intermédiaire, mais faites l'exercice sur un ballon d'exercices, les pieds posés au sol.

Lecteur

Permet de : renforcer le grand dentelé. Il est important de fortifier ce muscle si vos épaules sont voûtées ou tombantes. Les personnes dont les épaules sont voûtées ou tombantes ont souvent la poitrine tendue et cet exercice, ainsi qu'un bon étirement de la poitrine (voir pages 89 et 90), peut faire des merveilles pour l'amélioration de la posture.

Exécution du mouvement

Débutants : Allongez-vous sur le sol, à plat ventre, et soutenez-vous sur les coudes placés directement sous les épaules. Les paumes de la main doivent être à plat sur le sol. Baissez les épaules et faites travailler les muscles abdominaux en rentrant votre nombril vers la colonne vertébrale de façon à ce que l'abdomen ne soit plus collé au sol et que le dos soit allongé. Cette position ressemble à celle de quelqu'un qui lit un livre.

Niveau intermédiaire / avancé : Vous pouvez faire cet exercice sur les mains, les bras tendus, les pieds au sol, les jambes tendues et les genoux décollés du sol (pour le *niveau intermédiaire*, voir la photo 2 à la page 64). Vous pouvez également le faire sur les coudes, les pieds au sol, les jambes tendues et les genoux décollés du sol (pour le *niveau avancé*, voir la photo 3 à la page 64).

Répétitions : Maintenez la position aussi longtemps qu'il vous est possible de ne pas soulever les épaules et l'abdomen, pendant environ une minute. L'exercice est plus difficile qu'il n'y paraît.

Conseil de l'entraîneur

Évitez de trop serrer les fesses puisque cela diminue l'espace qui existe dans le bas du dos et dont vous avez besoin pour que la colonne vertébrale soit bien allongée.

Autre possibilité d'exécution :

Version plus facile : les coudes sont plus écartés, donc vous travaillez plus près du sol.

Planche abdominale

Permet de : renforcer les muscles abdominaux. Les abdominaux, et plus particulièrement le transverse, le muscle abdominal le plus profond, sont parmi les muscles les plus importants dans le maintien de la stabilité du tronc. Ils jouent donc un rôle essentiel dans l'alignement de la colonne vertébrale. Lorsque ces muscles sont renforcés, les maux de dos provoqués par une cambrure ou une compression excessives diminuent.

Exécution du mouvement

① Allongez-vous à plat ventre sur un ballon d'exercices et lentement, avancez le corps de façon à ce que les cuisses (*débutants*), le haut des tibias (*intermédiaire*) ou les pieds (*avancé*) soient les seules parties du corps posées sur le ballon. Les mains au sol et placées directement sous les épaules, gardez cette position tout en rentrant le nombril vers la colonne vertébrale, les épaules baissées et aplaties sur le dos.

Répétitions : Maintenez la position pendant au moins 30 secondes et aussi longtemps que possible, en conservant l'alignement neutre de la colonne vertébrale.

Autre possibilité d'exécution : Vous pouvez faire cet exercice sans ballon, les mains et les pieds posés au sol, les jambes tendues et les genoux décollés du sol (*pour le niveau intermédiaire*, photo 2) ou sur les coudes, les pieds posés au sol, les jambes tendues et les genoux décollés du sol (*pour le niveau avancé*, photo 3).

Conseil de l'entraîneur

Assurez-vous de ne pas affaisser le bas du dos. Vous ne devriez éprouver aucune douleur en effectuant cet exercice. Si vous éprouvez de la douleur, c'est parce que vous êtes trop éloigné du ballon ou que vous ne faites pas travailler adéquatement les muscles abdominaux.

Contraction du transverse

Permet de : renforcer le muscle abdominal le plus profond.

Exécution du mouvement

① Placez-vous devant un miroir, de côté. Agenouillez-vous, les mains sous les épaules et les genoux sous les hanches. La colonne vertébrale doit garder sa courbe neutre, c'est-à-dire que le bas du dos est légèrement cambré. Inspirez profondément. Expirez lentement tout en rentrant le nombril vers la colonne vertébrale, de façon à pouvoir voir les muscles abdominaux se soulever. Ne modifiez pas la position de la colonne vertébrale pendant cet exercice.

Répétitions : de 10 à 12 fois.

② **Autre possibilité d'exécution :** Allongez-vous à plat ventre sur le sol, le front posé sur les mains. Détendez tout le corps et inspirez profondément. Expirez lentement tout en rentrant le nombril vers la colonne vertébrale pour que se crée un espace entre le sol et votre estomac. Ici aussi, ne modifiez pas la position de la colonne vertébrale pendant cet exercice.

Incorrect

Correct

Soutien sur le côté

Permet de : renforcer les obliques internes et externes et le carré des lombes.

Exécution du mouvement

① **Débutants :** Asseyez-vous sur la hanche droite, les genoux pliés et dans le prolongement des hanches (ou légèrement devant les hanches). Prenez appui soit sur le coude (plus facile), soit sur la main (plus difficile) du bras droit, soulevez lentement les hanches latéralement par rapport au sol. Imaginez que vous êtes allongé sur une planche, sur le côté, de façon à ce que les genoux, les hanches et les épaules soient tous alignés. Les épaules doivent être détendues et le nombril rentré vers la colonne vertébrale. Maintenez la position cinq secondes ou plus, avant de revenir au sol. Refaites l'exercice sur la hanche gauche.

② **Niveau intermédiaire :** Même exercice que celui du niveau débutant, mais prenez appui sur un bras tendu.

③ **Niveau avancé :** Même exercice que celui du niveau débutant, mais tendez les jambes. Assurez-vous que les pieds sont dans le prolongement des hanches et non derrière elles.

Répétitions : 2 fois sur chaque côté.

Entraînement musculaire

Pectoraux (poitrine)

Traction

Type d'exercice : combiné
Principal muscle sollicité : grand pectoral
Autres muscles sollicités : deltoïdes, petit pectoral, grand dentelé, triceps

Exécution du mouvement

①-② **Débutants :** Agenouillez-vous sur le sol, les pieds croisés, les genoux joints, les mains au sol, légèrement avancées et écartées de façon à dépasser les épaules. Assurez-vous que les genoux, les hanches et les épaules forment une diagonale. Lentement et tout en gardant la même position, baissez le corps vers le sol. Puis, en poussant sur les mains, remontez le corps. Si vous n'êtes pas en mesure de faire une traction entière (c'est-à-dire ramener le corps au sol et remonter), faites une demi-traction, jusqu'à ce que vos muscles se fortifient.

③-④ **Niveau intermédiaire/avancé :** Même exercice que celui du niveau débutant, mais vous n'êtes plus sur les genoux : les jambes sont tendues et vous êtes sur la pointe des pieds. Le corps droit, baissez-vous lentement vers le sol en essayant de le toucher avec la poitrine et l'os pubien.

⑤ **Niveau très avancé :** Faites l'exercice avec les pieds surélevés, sur un banc ou sur un ballon d'exercices.

Conseil de l'entraîneur

Afin d'éviter la cambrure du bas du dos, rentrez le nombril aussi loin que vous le pouvez vers la colonne vertébrale et imaginez que les efforts viennent de la poitrine.

Oiseau

Type d'exercice : ciblé
Principal muscle sollicité : grand pectoral

Exécution du mouvement

①-② **Débutants :** Allongez-vous sur le dos, sur le sol ou sur un banc d'exercices, les pieds placés devant les fesses, les genoux pliés. Avec des poids dans les mains, tendez les bras au-dessus de la poitrine (dans le prolongement des mamelons), le dos des mains se faisant face. Bien que les bras doivent être tendus, efforcez-vous de ne pas verrouiller les coudes, il faut qu'ils soient légèrement relâchés.

Lentement, écartez les bras en direction du sol en tournant la paume des mains vers le plafond et arrêtez le mouvement lorsque les mains sont dans le prolongement des épaules. Si vous êtes sur un banc, arrêtez le mouvement des bras lorsque vous arrivez au niveau du banc, autrement les muscles seront trop étirés et la charge que devra subir l'articulation des épaules risque d'être trop élevée. Revenez à la position de départ.

Conseil de l'entraîneur

De nombreuses personnes font cet exercice sans effectuer une rotation des bras. Puisque l'une des fonctions du grand pectoral est justement d'effectuer la rotation interne des bras, il est logique de faire appel à ce mouvement pour exercer le muscle.

①

②

③ **Autre possibilité d'exécution :** Allongez-vous sur le sol et placez un élastique de gymnastique sous le dos, vers le haut du dos. Tenez une poignée de l'élastique dans chaque main. Faites l'exercice tel qu'il est décrit ci-dessus.

③

Oiseau sur poulie

Type d'exercice : combiné
Principal muscle sollicité : grand pectoral
Autres muscles sollicités : deltoïdes, abdominaux

Exécution du mouvement

① L'une des façons d'effectuer cet exercice est d'utiliser les câbles supérieurs ou inférieurs du système de câbles croisés à poulie si vous y avez accès dans une salle d'entraînement, afin de cibler les fibres de la poitrine supérieures ou inférieures. Tenez vous au milieu des deux câbles, une poignée dans chaque main, les paumes tournées vers le sol. Posez un pied devant l'autre pour être en position de stabilité et fléchissez légèrement les genoux. Penchez la poitrine vers l'avant, pour former un angle de 45 degrés, et lentement, baissez les mains devant vous, de façon à ce qu'elles soient toutes les deux devant la poitrine, dans le prolongement des mamelons, le dos des mains se touchant presque. Relâchez et reprenez votre position de départ.

② **Autre possibilité d'exécution :** Attachez un élastique à une tringle de rideaux et faites l'exercice, une main à la fois, tout en vous assurant que vous maintenez une bonne posture et que le torse ne bouge pas.

Conseil de l'entraîneur

Voir celui de l'exercice de l'oiseau sur la page ci-contre (voir page 68)

Exercices supplémentaires (appareils en salle d'entraînement) : Développé assis incliné, développé assis décliné, développé allongé / développé assis / adduction de l'épaule sur une presse à pectoraux

Deltoïdes (muscles des épaules)

Traction sur bras rapprochés

Type d'exercice : combiné
Principaux muscles sollicités : deltoïde (faisceau antérieur) et triceps
Autres muscles sollicités : pectoraux

Exécution du mouvement

Cet exercice s'effectue tout comme un exercice normal de traction sur les bras (voir page 67), mais cette fois-ci, il faut que les mains soient directement placées sous les épaules sans les dépasser, les doigts dirigés vers l'avant. Lentement, baissez-vous vers le sol, les coudes rentrés dans les côtés de façon à effleurer la taille lorsque vous vous abaissez.

Conseil de l'entraîneur

Évitez de trop ouvrir les coudes sur les côtés puisque cela annulera l'action des triceps.

Abduction latérale

Type d'exercice : ciblé
Principal muscle sollicité : deltoïde (faisceau moyen)

Exécution du mouvement

① Position debout telle qu'elle est expliquée à la page 60, les bras sur le côté, les paumes des mains face aux jambes. Avec un poids dans chaque main, soulevez lentement les bras latéralement en tournant les paumes vers l'extérieur, de façon à ce que les paumes soient dirigées devant vous à la fin du mouvement. Portez les mains à la hauteur du menton mais pas plus haut puisque les muscles du cou risquent de trop travailler et de se froisser. Baissez les bras lentement pour revenir à la position de départ.

② **Autre possibilité d'exécution :** Placez un élastique de gymnastique sous les deux pieds et tenez une poignée dans chaque main. Procédez comme dans l'exercice ci-dessus.

Conseil de l'entraîneur

Travaillez avec le muscle sollicité dans l'exercice du Stoppeur (voir page 62) : les muscles des épaules sont isolés, ce qui permet un exercice efficace. La rotation permet de libérer l'articulation de l'épaule.

Abduction frontale

Type d'exercice : ciblé
Principal muscle sollicité : deltoïde (faisceau antérieur)

Exécution du mouvement

Cet exercice s'effectue de la même façon que l'exercice d'abduction latérale, mais cette fois-ci, soulevez les bras en diagonale vers l'avant du corps (ne les soulevez pas directement devant le corps). Lorsque vous soulevez les mains, les paumes doivent faire face au sol.

Autre possibilité d'exécution : Placez un élastique de gymnastique sous les deux pieds et tenez une poignée dans chaque main. Procédez de la même façon que ci-dessus.

Conseil de l'entraîneur

Travaillez avec le muscle sollicité dans l'exercice du Stoppeur (voir page 62). L'angle formé par les épaules et les bras au cours de cet exercice ne provoquera pas de tension dans l'articulation de l'épaule comme dans l'exercice d'abduction latérale sur la page ci-contre, donc la rotation interne, l'une des fonctions du faisceau antérieur du deltoïde, peut s'exercer.

Abduction postérieure

Type d'exercice : combiné
Principal muscle sollicité : deltoïde (faisceau postérieur)
Autres muscles sollicités : triceps

Exécution du mouvement

① Debout, les genoux légèrement fléchis et écartés, les bras sur les côtés, les paumes face aux cuisses. Inclinez légèrement la poitrine, de façon à former un angle de 30 degrés environ. Lentement, soulevez les bras vers l'arrière tout en tournant la paume des mains vers l'extérieur, loin du corps. Levez les bras aussi haut qu'il vous est possible sans modifier la position du corps.

② **Autre possibilité d'exécution :** Placez un élastique de gymnastique sous les pieds et tenez une poignée dans chaque main. Procédez de la même façon que ci-dessus.

Exercices supplémentaires :
Développé épaules (décliné, droit)

①
②

Conseil de l'entraîneur

Évitez de pencher le corps trop en avant pour lever les bras plus haut.

Les bras

Rotateurs externes des bras

Les rotateurs externes des bras sont souvent faibles puisque la plupart des mouvements que nous effectuons au courant de la journée exigent une rotation interne des bras. La plupart des exercices présentés ici permettent de renforcer les rotateurs internes des bras; l'intégration du présent exercice à votre programme d'entraînement empêchera donc que ne se développe un déséquilibre des muscles du bras.

Type d'exercice : combiné
Principaux muscles sollicités : sous-épineux, petit rond

Exécution du mouvement

① Allongez-vous sur un côté, les genoux fléchis, les pieds devant les hanches. Posez la tête sur le bras qui est au sol et tendu au-dessus de la tête. Un poids dans la main libre et le coude plié, rentré sur le côté, soulevez le poids lentement vers le plafond, tout en gardant les épaules et les hanches droites, face à l'extérieur. Une fois que vous avez soulevé le poids aussi haut que vous le pouvez sans déplacer la posi-

tion des hanches et des épaules, ramenez lentement la main vers le sol. Votre main devrait être dans le prolongement du coude pendant que vous effectuez l'exercice. Répétez de l'autre main.

②-③ **Autre possibilité d'exécution :** Vous pouvez faire cet exercice en position debout, un élastique de gymnastique attaché à une poignée de porte. La main la plus éloignée de la porte tient la poignée

de l'élastique; votre corps est sur le côté de façon à ce que l'élastique passe devant vous lorsque vous le tirez. Tirez lentement l'élastique aussi loin que possible de la poignée de la porte, tout en gardant les épaules et les hanches droites, dirigées vers l'avant. La main qui tient l'élastique doit être dans le prolongement du coude qui est rentré dans la taille.

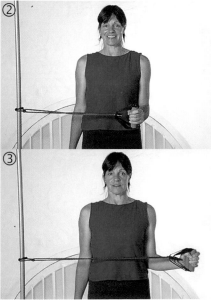

Inclinaison à la barre

Type d'exercice : combiné
Principal muscle sollicité : triceps
Autres muscles sollicités : rhomboïdes, deltoïdes, triceps, grand dorsal, grand rond

Conseil de l'entraîneur

Si l'écart entre vos mains est grand, ce sont les muscles du dos qui seront sollicités ; si l'écart entre vos mains est étroit, ce sont les muscles des bras et des épaules qui seront sollicités.

Exécution du mouvement

Faites cet exercice sur une machine à appui ou sur une barre d'appui en suspension s'il y en a dans votre salle d'entraînement ou alors, prenez appui sur l'intérieur d'un coin de comptoir chez vous ou au bureau. Les coudes tendus, les mains écartées dépassant légèrement les épaules, les épaules baissées (bien plus que sur la photo). Pliez les coudes et inclinez le torse vers l'avant, à un angle de 10 à 15 degrés environ tout en amenant le corps vers le bas. Assurez-vous que vos épaules ne forment pas un angle supérieur à 45 degrés parce que cette articulation assez vulnérable risque d'être trop forcée et étirée. Remontez jusqu'à la position de départ tout en vous assurant que les épaules demeurent baissées tout au long de l'exercice.

Débutants : La machine à appui est la meilleure approche pour faire cet exercice. Si vous n'avez pas accès à une machine à appui, faites l'exercice ainsi qu'il est décrit plus haut, mais demandez à quelqu'un de tenir vos pieds, de vous aider à descendre vers le sol pendant que vous pliez les coudes et de vous donner un élan pour vous aider à revenir à la position de départ. À mesure que vos muscles se fortifient, essayez de descendre le corps sans aide.

Extension du coude, mains en pronation

Type d'exercice : ciblé
Principal muscle sollicité : triceps

Exécution du mouvement

① Agrippez la barre des deux mains, les mains ne devant pas dépasser les épaules ; lentement, descendez les mains vers le sol jusqu'à ce que les coudes soient en contact avec la taille. C'est la première étape de l'exercice. Pour la seconde étape, descendez les mains jusque vers les cuisses, les coudes rentrés dans la taille. Lentement, remontez la barre en position de départ.

② **Autre possibilité d'exécution :** Attachez un élastique de gymnastique à une tringle, une poignée de l'élastique dans chaque main. Procédez de la même façon.

Conseil de l'entraîneur

Évitez que les épaules ne se soulèvent ou ne soient projetées vers l'avant. Essayez au contraire de faire travailler le muscle sollicité dans l'exercice du Stoppeur, à la page 62.

Traction arrière des bras fléchis / extension du coude

Type d'exercice : combiné
Principal muscle sollicité : triceps
Autres muscles sollicités : grand dorsal, grand rond

Exécution du mouvement

①-③ Allongez-vous sur le dos, sur un banc d'exercices ou sur le bord d'un lit, les genoux pliés, les pieds rapprochés des fesses. Serrez un haltère des deux mains, les paumes se faisant face et les coudes fléchis à 90 degrés. L'haltère devrait se situer au-dessus ou derrière la tête selon votre souplesse et votre force ; les coudes devraient soit être placés en direction du plafond, soit faire face au mur qui se trouve devant vous ou encore, être entre ces deux positions. Rentrez le nombril vers la colonne vertébrale et lentement, tendez les bras tout en vous assurant que les coudes restent en position initiale. Ensuite, ramenez les bras vers l'avant, en direction de l'os pubien. Arrêtez le mouvement lorsque les coudes sont au-dessus du nombril. Lentement, revenez à la position initiale.

④-⑤ **Autre possibilité d'exécution :** Cet exercice ne se fait pas facilement avec un élastique de gymnastique puisque la tête se trouve sur sa trajectoire, ce qui est loin d'être commode. Une autre façon d'effectuer l'extension du coude par-dessus la tête est de vous asseoir, la main gauche derrière, à la hauteur du bas du dos, la paume tournée vers l'extérieur et tenant une poignée de l'élastique. Le coude droit est fléchi et est dirigé vers le plafond (à proximité de l'oreille droite) ; prenez l'autre poignée de l'élastique et lentement, tendez-le au-dessus de la tête. Assurez-vous de ne pas soulever l'épaule et que le coude plié se dirige toujours vers le plafond, contre votre oreille. Recommencez l'exercice de l'autre côté.

Conseil de l'entraîneur

Si vous désirez accroître le degré de difficulté de l'exercice (1-3), serrez la tête entre les deux coudes et baissez-les aussi bas que possible tout en les gardant collés à la tête.

Extension du coude

Type d'exercice : ciblé
Principal muscle sollicité : triceps brachial

Exécution du mouvement

①-② Un genou posé sur un banc d'exercices (ou une surface semblable), l'autre pied au sol pour vous stabiliser. La main, celle du même côté que le genou plié, est posée sur le banc elle aussi, devant le genou, de façon à ce que le torse soit maintenu lorsque vous vous penchez. L'autre main tient un haltère de votre choix ; pliez le coude en direction du plafond, le bras toujours rentré dans la taille. Lentement, tendez le bras vers l'arrière de façon à ce que le coude soit tendu. Lentement, baissez le bras et revenez en position de départ. Recommencez l'exercice de l'autre côté.

③-④ **Autre possibilité d'exécution :** Placez un élastique de gymnastique derrière le cou, une poignée dans chaque main, et lentement, tendez les deux bras vers l'arrière, aussi loin que possible. Les coudes doivent être rentrés dans les côtés et les épaules doivent être détendues.

Conseil de l'entraîneur

L'exercice est encore plus difficile à effectuer si vous soulevez les coudes aussi haut que possible. Mais il faut toujours garder les épaules baissées.

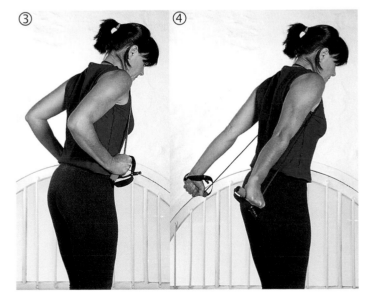

Flexion du coude

Type d'exercice : combiné
Principaux muscles sollicités : biceps brachial, brachial antérieur, brachio-radial

Exécution du mouvement

①-② Position debout telle qu'elle est expliquée à la page 60, un haltère dans chaque main, les paumes tournées vers le haut. Lentement, soulevez les mains vers les épaules, en pliant les coudes. Une fois que les mains touchent les épaules, baissez-les lentement pour revenir à la position de départ.

③-④ **Autre possibilité d'exécution :** Vous pouvez faire le même exercice avec un élastique de gymnastique placé sous les pieds.

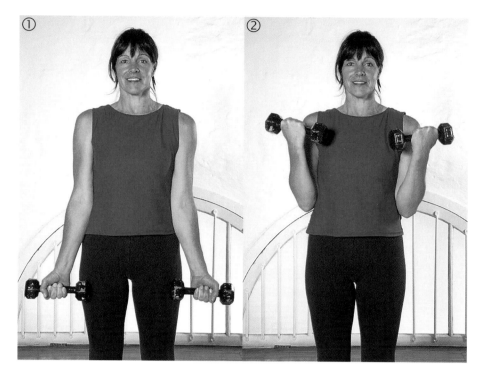

Conseil de l'entraîneur

Le corps ne doit pas bouger du tout pour éviter tout élan qui pourrait vous aider.

Exercices supplémentaires :
Extension du coude, mains en pronation

Le dos

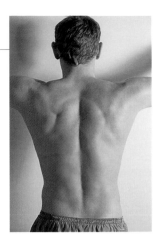

Extension portant sur divers groupes musculaires, position allongée

Type d'exercice : combiné
Principaux muscles sollicités : érecteur spinal, fessiers, ischio-jambiers
Autres muscles sollicités : deltoïdes, rhomboïdes

Exécution du mouvement

① Niveau intermédiaire / avancé : Allongez-vous sur le ventre, sur un ballon d'exercices ; vos pieds et vos mains touchent à peine le sol. Assurez-vous de bien vous sentir en équilibre sur le ballon avant de commencer à soulever lentement le bras gauche dans le prolongement du côté. Une fois que vous êtes en équilibre, soulevez la jambe droite en arrière. La jambe et le bras doivent être parallèles au sol. Tenez la position pendant 3 ou 4 secondes, en équilibre. Répetez l'exercice avec le bras droit et la jambe gauche.

② **Autre possibilité d'exécution :** Variante plus stable pour les débutants. Couché à plat ventre sur le sol, soulevez le bras et la jambe opposés (bras droit et jambe gauche / bras gauche et jambe droite) à environ 10 à 20 degrés du sol.

Conseil de l'entraîneur

Si vous désirez cibler davantage les muscles fessiers dans cet exercice, faites une rotation externe (vers l'extérieur) de la jambe que vous soulevez.

Extension dorsale

Si le bas de votre dos présente des risques de blessures, évitez de faire cet exercice. Si vous souffrez de dou-leurs lombaires, faites plutôt l'exercice de la page ci-contre, Extension d'une jambe, position agenouillée.

Type d'exercice : ciblé
Principal muscle sollicité : érecteur spinal

Exécution du mouvement

① **Débutants :** Allongez-vous à plat ventre sur le sol, les mains près des cuisses. Les pieds au sol, les jambes légèrement tournées vers l'extérieur, ce qui permet aux muscles fessiers d'aider les muscles du dos. Lentement, soulevez la poitrine aussi haut que vous le pouvez, en vous assurant d'allonger la colonne vertébrale le plus possible. Essayez d'atteindre le coin formé par le plafond et le mur qui vous sont opposés plutôt que le plafond au-dessus de votre tête.

② **Niveau intermédiaire :** Tout comme l'exercice ci-dessus, mais cette fois, posez le front sur les mains.

③ **Niveau avancé :** Tout comme l'exercice ci-dessus, mais cette fois-ci, croisez les mains derrière la tête. Pour ne pas vous aider des muscles fessiers, relâchez-les et faites en sorte que les chevilles et les genoux se touchent.

Conseil de l'entraîneur

Assurez-vous de bien garder les épaules baissées tout au long de l'exercice et de faire agir le muscle sollicité dans l'exercice du Stoppeur (voir page 62).

Extension d'une jambe, position agenouillée

Type d'exercice : combiné
Principaux muscles sollicités : érecteur spinal, fessiers et ischio-jambiers
Autres muscles sollicités : abdominaux

Exécution du mouvement

① **Débutants :** Agenouillez-vous, les mains au sol. Le poids de votre corps doit être réparti de façon égale sur les mains et les genoux ; lentement, soulevez une jambe vers l'arrière, tendez le genou de façon à ce que la face postérieure de la cuisse soit dans le prolongement de la fesse. Ne tournez pas les hanches ou les épaules à la fin du mouvement. Votre nombril devrait être rentré vers la colonne vertébrale tout au long de l'exercice. Recommencez de l'autre côté.

② **Niveau intermédiaire :** Tout comme dans l'exercice ci-dessus, mais cette fois-ci, soulevez la main opposée au genou plié et maintenez la position pendant quelques secondes, tout en vous assurant que le poids du corps est bien réparti sur la main et le genou au sol.

Conseil de l'entraîneur

Il est essentiel d'éviter de cambrer le bas du dos qui risque alors de se comprimer.

Traction vers le bas, prise large

Type d'exercice: combiné
Principaux muscles sollicités: grand dorsal, biceps, brachial antérieur, brachio-radial
Autres muscles sollicités: grand rond, rhomboïdes, abdominaux, trapèze (faisceau moyen)

Exécution du mouvement

① Assis devant une barre à extension (ou un élastique de gymnastique attaché à une tringle), les mains agrippant la barre et écartées de façon à légèrement dépasser les épaules. Penchez le torse vers l'arrière de 15 à 20 degrés pendant que vous baissez la barre vers le haut de la poitrine, les coudes se dirigeant vers l'arrière, aussi loin que possible. Le menton doit être rentré, la poitrine ouverte et les épaules détendues. Tout au long de l'exercice, rentrez le nombril vers la colonne vertébrale pour ne pas cambrer le bas du dos. Tenez la barre pendant quelques secondes en fin de mouvement et lentement, relâchez-la et ramenez-la vers le haut, les coudes toujours rentrés dans les côtés.

② **Autre possibilité d'exécution:** Debout, les deux bras tendus devant vous, à la hauteur de la poitrine, tenant un élastique d'étirement, les paumes des mains se faisant face. Lentement, baissez le bras droit vers le côté droit du corps et progressivement tendez-le vers l'arrière, aussi loin que possible, tout en gardant une bonne posture. L'épaule droite ne doit pas tomber vers l'avant. Effectuez une rotation interne du bras en faisant l'exercice. Recommencez avec le bras gauche.

Conseil de l'entraîneur

Lorsque, durant cet exercice, le mouvement est effectué de façon à aller au-delà du cou, l'une des trois fonctions du grand dorsal ne s'exerce pas, celle de la rotation interne du bras.

Conseil de l'entraîneur

Il vous faudra bien stabiliser le bras qui ne travaille pas pour qu'il puisse garder sa position. Assurez-vous de faire travailler vos stabilisateurs abdominaux, mais également les muscles sollicités dans les exercices du Stoppeur et du Lecteur (voir Stabilisation du torse, pages 62 et 63).

Traction à la barre fixe

Type d'exercice: combiné
Principaux muscles sollicités: grand dorsal, biceps, brachial antérieur, brachio-radial
Autres muscles sollicités: grand rond, rhomboïdes, abdominaux, deltoïde (faisceau postérieur), trapèze (faisceau moyen)

Exécution du mouvement

Il vous faut une barre à laquelle vous pourrez vous suspendre. Les mains agrippent légèrement la barre, elles sont un peu plus écartées que la largeur des épaules. Soulevez-vous vers le haut, la barre devant idéalement toucher le haut de la poitrine. Redescendez lentement et recommencez.

Débutants: Demandez à quelqu'un de vous aider en vous tenant les pieds et en vous donnant un élan vers le haut pendant que vous vous soulevez avec les bras. Au fur et à mesure que vos muscles se fortifient, vous aurez de moins en moins besoin d'aide.

Conseil de l'entraîneur

Plus votre prise est large et plus les muscles du dos seront sollicités. Les culturistes utilisent souvent une barre à traction dont la prise est très large pour élargir justement le dos.

Traction, position assise

Type d'exercice: ciblé
Principaux muscles sollicités: rhomboïdes

Exécution du mouvement

① Asseyez-vous sur un appareil à traction. Il se peut que vous ayez le choix: un appareil à barres exigeant une rotation interne des bras et des mains ou un appareil à barres exigeant une rotation externe des bras et des mains. Chacun de ces appareils ciblera les rhomboïdes de manière légèrement différente, donc passez régulièrement d'un appareil à l'autre. Tenez la barre; lentement, tirez les coudes vers l'arrière, aussi loin que possible, tout en vous assurant que les épaules sont détendues et baissées. Il faut que vous sentiez que les omoplates sont serrées l'une contre l'autre avant de ramener les bras en position de départ.

② **Autre possibilité d'exécution:** Passez un élastique de gymnastique autour d'un pied de bureau ou de votre propre pied et tenez une poignée dans chaque main. Faites l'exercice tel qu'il est expliqué ci-dessus et inversez la rotation des bras, rotation interne puis rotation externe et vice-versa.

Conseil de l'entraîneur

Essayez de ne pas cambrer le bas du dos; le nombril doit être rentré vers la colonne vertébrale.

Oiseau, mouvement inversé

Type d'exercice: ciblé

Principaux muscles sollicités: rhomboïdes

Exécution du mouvement

① À plat ventre, sur un banc ou encore sur le coin d'un lit ou d'une table. Un haltère dans chaque main, les mains dans le prolongement de la poitrine, soulevez lentement les mains vers l'arrière jusqu'à ce que vous sentiez les omoplates se serrer l'une contre l'autre à la fin du mouvement. Baissez lentement les mains vers la position de départ.

Conseil de l'entraineur

Abaissez vos épaules durant l'exercice dans le but de faire travailler le muscle principalement visé par l'exercice du Stoppeur (voir p. 62).

② **Autre possibilité d'exécution:** Passez un élastique de gymnastique sous le support d'un banc ou de la surface sur laquelle vous êtes allongé et faites l'exercice tel qu'il est décrit ci-dessus.

Exercices supplémentaires: Hyperextension horizontale en suspension, extension dorsale en position assise, appareil à contrepoids

82

Les abdominaux

D'autres exercices de renforcement des abdominaux, plus fonctionnels, ont déjà été présentés dans la section Stabilisation du torse (voir pages 60 à 66).

Redressement avec torsion

Type d'exercice : combiné

Principaux muscles sollicités : grand droit de l'abdomen, obliques internes et externes

Autres muscles sollicités : transverse et fléchisseurs des hanches, selon la position des genoux

Exécution du mouvement

① Allongez-vous sur le dos, jambes fléchies formant un angle de 20 degrés, pieds posés à plat au sol. Les mains sur les côtés, légèrement décollées du sol, soulevez lentement le corps à un angle de 45 degrés, en tournant le torse à droite ou à gauche en fin de mouvement. Soulevez une vertèbre à la fois : à aucun moment votre dos ne doit être aplati ou cambré. Consultez l'exercice Dos au ballon (voir page 61) pour connaître la position optimale de la colonne vertébrale. Une fois que vous êtes à un angle de 45 degrés, baissez le corps lentement et recommencez de l'autre côté. Faites cet exercice très lentement pour éviter de donner un élan ou pour éviter que les fléchisseurs de la hanche (les muscles qui permettent de ramener les genoux vers la poitrine) ne viennent trop en aide aux abdominaux.

② **Débutants :** Ne tenez pas compte du mouvement de torsion. Commencez l'exercice en position assise, les jambes légèrement fléchies et les bras sur les côtés, légèrement décollés du sol. Lentement, baissez le torse vers le sol, une vertèbre à la fois, jusqu'à ce que vous soyez tout à fait allongé sur le dos. Repliez un genou sur la poitrine et revenez à la position de départ.

Niveau intermédiaire / avancé : Croisez les bras sur la poitrine (**intermédiaire**) ou mettez-les derrière la tête (**avancé**) pour accroître la charge de travail des abdominaux.

Conseil de l'entraîneur

Plus vous pliez les genoux et plus l'exercice est facile à exécuter puisque les fléchisseurs de la hanche ont un rôle prédominant dans la flexion de l'articulation. L'angle des jambes ne doit pas être plus petit que 20 degrés pour éviter la tension du dos. Les débutants peuvent obtenir de l'aide en plaçant un élastique de gymnastique sous les talons (voir photo 3) et en tenant une poignée dans chaque main tout en s'abaissant au sol.

Les jambes et les fesses

Fentes

Type d'exercice : combiné
Principaux muscles sollicités : quadriceps (face antérieure de la cuisse), ischio-jambiers (face postérieure de la cuisse), fessiers

Exécution du mouvement

Debout, les pieds joints, les mains sur les hanches et le nombril rentré vers la colonne. Avancez une jambe aussi loin que possible devant vous de façon à ce que, lorsque vous pliez les deux jambes, un angle de 90 degrés se forme entre la face antérieure d'un genou et la face postérieure de l'autre genou. Le genou de la jambe avancée ne devrait pas se trouver à l'avant du talon du même pied ; il faut donc que la fente soit longue et que le poids du corps soit réparti sur les deux pieds. Poussez pour revenir en position de départ et recommencez avec l'autre jambe.

Débutants : Tout comme dans l'exercice ci-dessus, mais restez sur une jambe sans revenir en arrière. Pliez les deux jambes de façon à vous trouver dans la même position que l'exercice ci-dessus. Puis allongez la jambe qui travaille et recommencez l'exercice plusieurs fois avant de passer à l'autre jambe. Cette position vous offre plus de stabilité et vous permet de vous concentrer sur la technique plutôt que sur l'équilibre. Essayez de prendre appui sur un meuble.

Niveau avancé : Tenez un haltère dans chaque main ou placez un haltère au-dessus des épaules pour accroître la charge que portent vos jambes.

Conseil de l'entraîneur

Le buste doit être droit et le nombril rentré vers la colonne vertébrale ; évitez de tourner le torse lorsque vous avancez ou reculez d'un pas.

Fentes de côté

Type d'exercice : combiné
Principaux muscles sollicités : adducteurs de la jambe (grand, petit et moyen ; droit interne de la cuisse interne, pectiné), qui permettent de ramener les jambes en position neutre ; abducteurs (tenseur du fascia lata ; petit fessier), qui permettent d'écarter les jambes

Exécution du mouvement

Debout, les pieds joints, les mains sur les côtés, le buste est droit, le nombril rentré vers la colonne vertébrale. Faites un grand pas sur le côté. La jambe qui maintient le poids doit être tendue. Pliez la jambe que vous avez écartée, le pied dirigé vers l'avant et parallèle à l'autre pied ou alors très légèrement tourné vers l'extérieur si cela est plus confortable. Ramenez la jambe active en position de départ. Pour accroître l'équilibre, levez les bras latéralement lorsque vous faites l'enjambée.

Accroupissements

Essayez de faire cet exercice devant un miroir pour ne pas perdre de vue la position des genoux par rapport aux pieds. Idéalement, le milieu de la base du genou devrait être au-dessus du troisième orteil. Si vos genoux semblent pencher vers l'intérieur (c'est-à-dire vers le gros orteil), serrez les fesses pour les ramener à une position neutre. Serrez la face interne des cuisses si les genoux penchent vers l'extérieur.

Type d'exercice : combiné
Principaux muscles sollicités : quadriceps, ischio-jambiers, fessiers
Autre muscle sollicité : érecteur spinal

Exécution du mouvement

① Debout, les pieds légèrement plus écartés que la largeur des épaules, le torse droit, le nombril rentré vers la colonne vertébrale et les mains sur les côtés. Lentement, fléchissez les genoux, portant le poids du corps davantage sur les talons que sur les orteils. Poussez les fesses vers l'arrière en vous baissant tout en inclinant le torse à un angle de 40 degrés pour équilibrer le corps. Levez les bras devant vous pour être en équilibre.

② **Débutants :** Tout comme l'exercice ci-dessus, mais placez une chaise derrière vous pour vous habituer à fléchir les genoux sans avoir peur de perdre votre équilibre.

Niveau avancé : Tout comme l'exercice ci-dessus, mais prenez un haltère dans chaque main ou au-dessus des épaules.

Conseil de l'entraîneur

Évitez d'incliner le bassin vers l'avant ou de trop cambrer le bas du dos ; n'oubliez pas que le bassin doit toujours être en position neutre tout au long de l'exercice.

Pont

Type d'exercice : combiné
Principaux muscles sollicités : ischio-jambiers, fessiers, érecteur spinal
Autres muscles sollicités : abdominaux

Exécution du mouvement

① **Débutants :** Allongez-vous sur le dos, les pieds au sol, les genoux fléchis à un angle de 45 degrés, les mains sur le côté, les paumes face au sol. Tout en rentrant le nombril vers la colonne vertébrale, soulevez lentement le bassin vers le plafond en appuyant sur les pieds. Essayez de faire en sorte que le bassin soit dans le prolongement des épaules et des genoux, de façon à ce que le corps forme une diagonale. Maintenez la position de deux à trois secondes et baissez le bassin vers le sol.

② **Niveau intermédiaire :** Tout comme l'exercice ci-dessus, mais cette fois-ci, posez les pieds sur un ballon d'exercices, les genoux fléchis et placés directement au-dessus des hanches. Poussez avec les mollets pour soulever le bassin.

③ **Niveau avancé :** Tout comme l'exercice ci-dessus, mais cette fois-ci, il n'y a qu'un pied sur le ballon d'exercices, l'autre étant soulevé, parallèle au pied sur le ballon.

Conseil de l'entraîneur

Les hanches doivent être bien alignées avec le reste du corps, surtout si vous travaillez avec un ballon et qu'il n'y a qu'un seul pied posé sur le ballon.

Extension des fessiers

Type d'exercice : combiné
Principaux muscles sollicités : ischio-jambiers, fessiers, érecteur spinal

Exécution du mouvement

① Allongez-vous à plat ventre sur un banc de gymnastique (ou une table ou un bureau) de façon à ce que la dernière partie du corps à reposer sur le banc soit les hanches ; les pieds sont au sol ou en suspension. Tenez les deux côtés du banc et lentement, soulevez les deux jambes, qui vont toutes deux effectuer une rotation externe, à une hauteur ne formant pas un angle supérieur à 10 degrés avec le niveau des hanches. Maintenez la position

pendant quelques secondes et ramenez les jambes en position de départ.

② **Autre possibilité d'exécution :** Faites cet exercice allongé sur un ballon d'exercices. Les deux mains sont au sol. Poussez le corps vers l'arrière du ballon de façon à ce que celui-ci soit sous l'estomac et non pas sous les cuisses. Levez les jambes comme dans l'exercice ci-dessus.

Exercices supplémentaires : Appareils à charge guidée, appareil de poussée des jambes, appareil à flexion des jambes, appareil à extension des jambes en position assise, appareils à abduction et adduction

Conseil de l'entraîneur

Lorsque vous êtes sur le ballon, évitez d'avancer le corps vers l'avant une fois les jambes soulevées. La résistance serait ainsi diminuée, facilitant l'exercice.

Les mollets

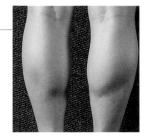

Ce sont probablement les muscles qui sont les plus difficiles à développer. Si votre patrimoine génétique vous le permet ou si vous avez poursuivi des activités où il était important d'utiliser les muscles du mollet (comme la danse classique, la gymnastique, le sprint ou la nage synchronisée), vous avez beaucoup de chance. Sinon, voici quelques-uns des exercices que vous pourriez faire pour fortifier ces muscles.

Pointé, fléchi

Type d'exercice : combiné
Principaux muscles sollicités : gastrocnémien, soléaire, tibial antérieur
Autres muscles sollicités : quadriceps, psoas-iliaque

Exécution du mouvement

Debout ou assis. Avancez un pied et posez-le sur la pointe et restez ainsi pendant quelques secondes. Ensuite, fléchissez le pied pendant quelques secondes et revenez à la position de départ. Recommencez avec l'autre pied.

Conseil de l'entraîneur

Le genou de la jambe qui travaille doit être tendu afin de bien cibler les deux muscles du mollet.

Soulèvement des mollets, position assise

Type d'exercice : ciblé
Principal muscle sollicité : soléaire

Exécution du mouvement

Assis sur une chaise ou un appareil servant à soulever les mollets si vous y avez accès dans une salle d'entraînement. Les chevilles sont placées directement sous les genoux. Lentement, poussez sur la pointe des pieds pour soulever les genoux et serrez les mollets à la fin du mouvement. Ramenez les talons au sol. Si vous êtes assis sur une chaise, posez une charge sur les cuisses afin d'accroître la charge soutenue par les mollets.

Conseil de l'entraîneur

Si vous êtes assis sur une chaise, posez les pieds sur un livre pour que les talons puissent être en suspension (si vous êtes sur un appareil, cette position se fera automatiquement). Étirer les mollets, cela signifie que le muscle doit être étiré avant de se contracter une nouvelle fois, accroissant ainsi l'intensité de l'exercice.

Soulèvement des mollets, position debout

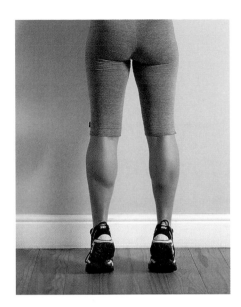

Type d'exercices : ciblé
Principal muscle sollicité : gastrocnémien

Exécution du mouvement

Sur un appareil spécialement conçu à cet effet si vous y avez accès dans une salle d'entraînement ou sur le bord d'une marche en vous tenant à un mur. Si vous êtes sur un appareil, une charge sera placée sur les épaules. Lentement, soulevez-vous aussi haut que vous le pouvez sur la pointe des pieds ; maintenez la position pendant quelques secondes et redescendez lentement de façon à ce que les talons soient en suspension sur le bord de la marche ou de l'appareil avant de recommencer l'exercice.

Conseil de l'entraîneur

Même conseil que pour le soulèvement des mollets en position assise, sur la page ci-contre.

Entraînement en souplesse

Pectoraux (poitrine)

Étirement, bras plié appuyé à un mur

Type d'étirement : ciblé
Principal muscle sollicité : grand pectoral

Exécution du mouvement

Debout, de côté près d'un mur. Le coude droit est fléchi à un angle de 90 degrés et la paume de la main est à plat sur le mur. Le coude devrait être à la même hauteur que l'épaule. Faites un pas avec le pied droit (note de l'éditeur : le mauvais pied est avancé sur la photo) de façon à ce que le coude droit se trouve derrière vous et que vous sentiez un étirement dans la poitrine. Assurez-vous que les hanches et les épaules sont bien dirigées vers l'avant, que le nombril est rentré vers la colonne vertébrale et que la colonne vertébrale est en position neutre (voir page 20). Les épaules doivent être baissées. Recommencez l'exercice avec le bras gauche.

Épaules en arc de cercle

Type d'étirement : combiné
Principaux muscles sollicités : grand et petit pectoral, deltoïdes

Exécution du mouvement

Assis, tenant dans chaque main l'extrémité d'une corde ou d'une sangle bien tendue devant vous. Lentement, soulevez les bras en arc de cercle au-dessus de la tête et dirigez-vous vers l'arrière du corps, les coudes étant bien droits. À la fin du mouvement, la sangle ou la corde doit toucher les fesses. Puis ramenez les bras devant vous. L'étirement doit se faire lentement et de manière contrôlée puisque lors du troisième quart de l'arc, l'épaule se trouve dans une position vulnérable. Ne sortez pas les côtes et ne cambrez pas le dos.

Autre possibilité d'exécution : Debout, les mains derrière la poitrine, les mains jointes, en vous assurant de ne pas laisser les épaules rouler vers l'avant.

Conseil de l'entraîneur

Au début, si vos épaules sont peu mobiles, il faudra probablement que les mains soient très écartées l'une de l'autre en tenant la corde pour pouvoir amener les bras derrière le corps. Une fois que vous serez un peu plus mobile, essayez de rapprocher les mains l'une de l'autre.

Développé pectoral ouvert

Il vous faut un partenaire pour effectuer cet étirement.

Type d'étirement : ciblé
Principal muscle sollicité : petit pectoral

Exécution du mouvement

Allongez-vous sur le dos, les bras sur les côtés, les paumes tournées vers le haut. Demandez à quelqu'un de s'agenouiller près de votre tête et de mettre ses mains autour de vos épaules de façon à les pousser vers le bas. Vous devriez sentir le devant des épaules et la poitrine s'étirer.

Autre possibilité d'exécution : Allongez-vous sur une serviette de bain qui aura été auparavant enroulée et placez-la le long de la colonne vertébrale, afin d'ouvrir davantage la poitrine. Vous pouvez effectuer cet étirement sans partenaire. Si vous désirez accroître l'intensité de l'étirement, vous pouvez également l'effectuer avec un partenaire ; dans ce cas, procédez selon les explications ci-dessus.

Deltoïdes (muscles des épaules)

Coude levé, coude baissé

Type d'étirement : combiné
Principaux muscles sollicités : triceps du bras levé, deltoïde antérieur du bras baissé

Exécution du mouvement

Debout ou assis, la colonne vertébrale en position neutre. Placez le bras droit dans le dos, le dos de la main contre votre dos et les doigts dirigés vers la colonne vertébrale. Étirez le bras gauche vers le plafond, pliez le coude et faites en sorte que la main droite aille chercher la main gauche dont la paume est tournée vers votre dos. Essayez de joindre les deux mains. Les côtes doivent être rentrées, la poitrine ouverte. Il ne faut pas que l'épaule gauche roule de l'avant. L'aisselle du bras levé doit être plate et le coude doit être très près de l'oreille, dirigé vers le plafond. Le bras baissé doit être aussi près du corps que possible. Évitez de laisser un espace entre la taille et le coude. Recommencez l'étirement en alternant les bras.

Étirement avec sangle

Type d'étirement : combiné
Principaux muscles sollicités : triceps, deltoïde postérieur

Exécution du mouvement

Prenez une corde ou une sangle dont la boucle équivaut à la largeur de vos épaules. Placez la boucle autour des coudes et agenouillez-vous devant un banc ou un lit de façon à ce que les genoux soient directement sous les hanches et que les coudes soient posés sur le banc ou sur le lit.

① **Débutants :** Joignez les deux mains ; il

faut qu'elles soient directement au-dessus des coudes. Lentement, essayez d'aligner la tête et le cou avec la colonne vertébrale qui devrait être en position neutre.

② **Niveau intermédiaire / avancé :** Tout comme dans l'exercice ci-dessus, mais placez un livre ou une balle entre les deux poignets, et non entre les mains, et faites en sorte que les mains soient directement au-dessus des coudes (voir photo 2). L'objet placé entre les poignets devrait permettre une ouverture suffisante des mains, mais ne dépassant pas la largeur des coudes.

Conseil de l'entraîneur

Si vos épaules sont peu mobiles, écartez encore plus les coudes en allongeant la boucle de la corde ou de la sangle.

Les bras

Étirement, bras tendu sur un mur

Type d'étirement : combiné
Principaux muscles sollicités : biceps, pectoraux

Exécution du mouvement

Debout, de côté à un mur. Tendez le bras gauche vers l'arrière, aussi haut que possible, à la hauteur des épaules ; le dos de la main doit être appuyé au mur de façon à permettre la rotation interne du bras. Avancez le pied droit jusqu'à ce que vous sentiez un étirement du biceps. Si le devant du corps est vraiment peu mobile, il se peut que vous ressentiez l'étirement jusque dans la poitrine. Assurez-vous que les hanches et les épaules sont droites et dirigées vers l'avant. Recommencez l'exercice de l'autre côté.

Conseil de l'entraîneur

Essayez autant que possible de garder les épaules baissées.

Position : coude levé

Type d'étirement : ciblé
Principal muscle sollicité : triceps

Exécution du mouvement

Assis ou debout, la colonne vertébrale en position neutre. Tendez le bras gauche vers le plafond, puis pliez le coude et ramenez la main vers le dos, la paume faisant face au dos. Essayez d'aplatir l'aisselle et gardez le coude dirigé vers le plafond, près de l'oreille. Tenez le coude gauche à l'aide de la main droite et poussez-le légèrement vers l'oreille gauche. Recommencez l'exercice avec le bras droit.

Le dos

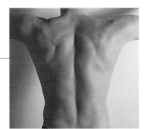

Flexion avant

Type d'étirement : ciblé
Principal muscle sollicité : érecteur spinal

Exécution du mouvement

Asseyez-vous sur les talons, les pieds posés au sol et joints, les genoux écartés. Les mains sur les côtés, baissez la tête vers le sol, entre les genoux. Le front seul doit être collé au sol.

Autre possibilité d'exécution : Vous pouvez effectuer le même étirement en étant étendu sur le dos. Prenez les genoux entre les bras et ramenez-les vers la poitrine.

Flexion avant, bras tendus

Type d'étirement : combiné
Principaux muscles sollicités : grand dorsal, grand rond, rhomboïdes, trapèze moyen, deltoïde postérieur

Exécution du mouvement

Tout comme dans la position de l'exercice précédent, mais cette fois-ci, tendez les bras au-dessus de la tête, les paumes posées au sol. Essayez de pousser la poitrine vers le sol.

Autre possibilité d'exécution : Debout devant un bureau ou un autre meuble que vous pouvez agripper et devant lequel vous pouvez vous incliner vers l'avant. Les jambes et le dos doivent former un angle de 90 degrés. Poussez doucement la poitrine vers le sol, fléchissant à peine les genoux. La tête doit être dans le prolongement de la colonne vertébrale.

Mains au-dessus des genoux

Type d'étirement : combiné
Principaux muscles sollicités : rhomboïdes, trapèze moyen

Exécution du mouvement

Assis sur un banc ou un lit, les genoux fléchis, les jambes écartées. Posez une main autour du genou opposé (main droite sur genou gauche et inversement). Laissez tomber la tête entre les jambes et inclinez le haut du torse vers l'avant tout en écartant les genoux. L'étirement devrait se faire sentir dans la région lombaire.

Ouverture de la cage thoracique

Type d'étirement : ciblé
Principaux muscles sollicités : érecteur spinal
C'est un très bon étirement pour ceux dont le haut du dos
n'est pas mobile (dos voûté ou courbé). Il permet également d'ouvrir la poitrine.

Exécution du mouvement

Allongez-vous sur le dos et placez une petite serviette de bain fermement enroulée entre les omoplates de façon à ce que la tête et les épaules soient posées au sol mais que la poitrine soit soulevée. Les jambes sont droites, les genoux joints et les mains sur les côtés reposent au sol.

Les abdominaux

Cobra

Type d'étirement : ciblé
Principal muscle sollicité : grand droit de l'abdomen

Exécution du mouvement

Allongez-vous à plat ventre au sol, les mains devant les épaules, les coudes fléchis et les paumes posées au sol. Lentement, décollez le torse du sol à un angle de 45 degrés. À la fin du mouvement, inspirez et faites sortir l'estomac de façon à sentir un étirement qui le traverse. Expirez en redescendant au sol.

Flexion arrière élevée

Type d'étirement : combiné
Principaux muscles sollicités : abdominaux, psoas-iliaque

Exécution du mouvement

Allongez-vous sur le dos, et placez deux oreillers ou deux coussins sous le sacrum (région sous la colonne lombaire et au-dessus du coccyx). Cela devrait lever le bassin assez haut de façon à sentir un léger étirement dans la région abdominale. Les jambes doivent rester tendues et jointes. Pour augmenter l'intensité de l'étirement, posez les bras vers l'arrière. Si vous éprouvez des douleurs lombaires en effectuant cet étirement, gardez les mains sur les côtés.

Étirement de côté, position debout

Type d'étirement : combiné
Principaux muscles sollicités : obliques, carré des lombes (bas du dos), grand dorsal (milieu du dos), grand rond (haut et milieu du dos), triceps

Exécution du mouvement

Debout, bien droit. Joignez les mains au-dessus de la tête, les coudes bien droits. Rentrez le nombril vers la colonne vertébrale afin de soutenir le bas du dos et lentement, inclinez-vous vers la droite, aussi loin que possible, étirant les mains vers la droite. Recommencez l'exercice de l'autre côté.

Conseil de l'entraîneur

En effectuant cet étirement, l'un des objectifs est d'allonger la colonne vertébrale. Assurez-vous également que la poitrine et les épaules sont dirigées vers l'avant, le bras supérieur au-dessus de l'oreille supérieure et non pas devant.

Les jambes et les fesses

Étirement des ischio-jambiers, position assise

Si les muscles ischio-jambiers sont peu mobiles, vous risquez d'éprouver une certaine gêne à faire cet étirement. Effectuez plutôt l'exercice ci-dessous, Étirement des ischio-jambiers, position allongée.

Type d'étirement: combiné
Principaux muscles sollicités:
ischio-jambiers, gastrocnémien

Exécution du mouvement

Assis sur un coussin ferme posé au sol, les jambes tendues devant vous. Poussez les muscles des fesses vers l'arrière, faites-les sortir des os sur lesquels vous êtes assis de façon à ce que le bassin soit en position neutre, c'est-à-dire que le bas du dos est légèrement cambré (ce n'est pas illustré sur la photo). Posez une sangle au-tour des talons, agrippez chaque extrémité dans une main et, tout en gardant une po-sition neutre, amenez lentement le devant du buste vers les pieds. Les pieds doivent être fléchis, les muscles des cuisses doivent tirer, les genoux sont droits et dirigés vers le plafond.

Conseil de l'entraîneur

Si vous désirez accroître l'intensité de l'étirement des muscles du mollet dans les deux exercices de cette page, placez la sangle sur la plante des pieds plutôt que sur les talons. Plus les orteils se rapprochent de la poitrine et plus les muscles des mollets seront étirés.

Étirement des ischio-jambiers, position allongée

Type d'étirement: combiné
Principaux muscles sollicités: ischio-jambiers, gastrocnémien

Exécution du mouvement

Allongez-vous sur le dos, au sol, les deux jambes tendues. Pliez une jambe et placez une sangle autour du talon de cette même jambe. Chaque main agrippe une extrémité de la sangle; lentement, soulevez le talon vers le pla-fond et tendez le genou de la jambe levée. Idéalement, le sol et la jambe levée devraient former un angle de 90 degrés. Le genou de la jambe au sol devrait être droit et devrait être dirigé vers le plafond, et le muscle de la cuisse contracté. Cette jambe permet d'ancrer le reste du corps et assurera que le bassin est en position neutre plutôt qu'en rétroversion (voir page 20), comme il aurait tendance à le faire dans cette position. Recommencez l'exercice en alternant les jambes.

Étirement de la cuisse, position debout

Type d'étirement : combiné
Principaux muscles sollicités : quadriceps, psoas-iliaque

Exécution du mouvement

Debout. De la main gauche, tenez votre pied gauche derrière vous et contre la fesse gauche. La jambe droite doit rester droite ; tenez-vous à un mur ou à une chaise avec la main droite. Rentrez le nombril vers la colonne vertébrale et assurez-vous que les genoux sont joints (côte à côte) tout en poussant légèrement l'os pubien vers l'avant et en allongeant la colonne vertébrale. Recommencez l'exercice en alternant les jambes.

Pied croisé au-dessus du genou

Type d'étirement : combiné
Principaux muscles sollicités : muscles permettant une rotation externe de la hanche, à savoir le pyramidal, le jumeau supérieur, le jumeau inférieur, l'obturateur externe, l'obturateur interne, le carré crural, le grand fessier : tous ces muscles sont dans les fesses

Exécution du mouvement

Allongez-vous sur le dos, la jambe gauche fléchie, le pied posé à plat au sol. Placez le pied droit au-dessus du genou gauche, pied fléchi. Insérez votre bras droit entre vos jambes, levez le bras gauche à l'extérieur de la jambe gauche et joignez les mains au-dessus du genou gauche, en le poussant légèrement vers la poitrine.

S'il vous est difficile de garder la tête au sol, mettez un oreiller sous la tête. Le haut du corps devrait être détendu ; n'oubliez pas de respirer lors de l'étirement. Évitez d'incliner le genou soulevé et le corps vers la droite puisque cela ne fera que diminuer l'intensité de l'étirement. Essayez au contraire de garder le corps aussi droit que possible tout en poussant le genou gauche le plus près possible de la poitrine. Recommencez l'exercice en alternant.

Autre possibilité d'exécution : Vous pouvez effectuer cet étirement en posant le pied gauche sur un mur et en fléchissant le genou de façon à former un angle de 90 degrés. Posez le genou droit tel que cela est expliqué ci-dessus et pressez légèrement vers le bas avec la main droite pour intensifier l'étirement.

Papillon

Type d'étirement : combiné
Principaux muscles sollicités : muscles du bassin (droit interne, pectiné, tenseur du fascia lata, le petit et le moyen fessier), permettent la rotation interne des cuisses ; muscles permettant de joindre les jambes (les adducteurs)

Exécution du mouvement

Assis, sur un coussin ferme ou une serviette de bain bien enroulée, les dessous de pied reposent l'un contre l'autre, les genoux sont fléchis et tombent sur les côtés. Poussez les muscles des fesses, faites-les sortir des os sur lesquels vous êtes assis de façon à ce que le bassin soit en position neutre. Tenez les chevilles avec les mains et posez les coudes sur les genoux, les poussant légèrement.
Autre possibilité d'exécution : Vous pouvez effectuer cet étirement en étant allongé pour accroître l'intensité de l'étirement. Assurez-vous cependant de ne pas trop cambrer le bas du dos.

Foulée

Type d'étirement : combiné
Principaux muscles sollicités : adducteurs des jambes qui permettent de les joindre, à savoir le grand, le petit et le moyen adducteur de la face interne de la cuisse, mais aussi le pyramidal qui se trouve devant le pubis

Exécution du mouvement

Asseyez-vous au sol, sur un coussin ferme ou une serviette de bain bien enroulée, les jambes tendues, ouvertes sur le côté. Poussez les fesses, faites-les sortir des os sur lesquels vous êtes assis de façon à ce que le bassin soit en position neutre. Tenez les mollets à l'aide des mains et, gentiment, poussez la poitrine vers le sol, entre les jambes, tout en gardant l'allongement de la colonne vertébrale. Assurez-vous que les pieds sont toujours dirigés vers le plafond tout au long de l'exercice.

Conseil de l'entraîneur

Si vous éprouvez une douleur derrière le genou, c'est que vos jambes sont trop écartées.

Les mollets

Flexion du talon en suspension

Type d'étirement : ciblé
Principal muscle sollicité : gastrocnémien

Exécution du mouvement

Debout, le pied droit sur un objet surélevé ou une marche, le talon du pied gauche en suspension à partir du même objet ou marche, les deux pieds sont parallèles. Posez une main sur un mur pour vous soutenir. Lentement, pliez le genou droit et baissez le talon gauche de façon à sentir un étirement dans le mollet. Recommencez l'exercice en alternant les talons.

Conseil de l'entraîneur

Les épaules doivent être placées légèrement devant vos hanches et les abdominaux doivent être contractés, de façon à ne pas cambrer le bas du dos.

Étirement du mollet, genou fléchi

Type d'étirement : ciblé
Principal muscle sollicité : soléaire

Exécution du mouvement

Debout sur les deux jambes, un pied devant l'autre, mais pas trop éloigné. Le poids du corps doit être posé sur le pied arrière et les pieds doivent être parallèles. Pliez les deux genoux de façon à sentir un étirement dans le mollet de la jambe arrière. Recommencez l'exercice en alternant les pieds.

Conseil de l'entraîneur

Les épaules doivent être placées légèrement devant les hanches et les pieds ne doivent pas être trop éloignés l'un de l'autre. Lorsqu'ils sont rapprochés, le poids du corps permet un étirement intense.

Informations
utiles

Dans les deux premiers chapitres, nous avons expliqué comment se fixer des objectifs aussi bien du point de vue de la santé que de celui du conditionnement physique, mais aussi évaluer le niveau de forme physique et le degré de motivation. Dans les deux chapitres suivants, nous avons analysé les grandes lignes d'un programme d'exercices efficace avant de présenter le programme proprement dit, à savoir les exercices. En guise de conclusion, nous allons analyser brièvement quelques questions relatives à un bon programme d'exercices.

Des vêtements appropriés

Les **chaussures** sont sans aucun doute l'article de sport le plus important et il est essentiel que vous ayez les chaussures appropriées aux activités que vous aurez choisies. Dans la plupart des magasins de sport qui offrent une grande sélection de chaussures de sport, il devrait y avoir des commis spécialisés, prêts à vous conseiller. Avant de faire votre achat, allez dans quelques magasins de sport pour vous faire une opinion, puisque vous allez garder ces chaussures pendant assez longtemps et qu'elles peuvent coûter cher.

Il est recommandé d'évaluer votre type de pied et votre type de démarche pendant la marche ou la course. Consultez un podologue ou un podiatre qui vous dira où obtenir une telle évaluation; il vaut mieux vous rendre auprès d'un spécialiste en activité physique ou en activités sportives plutôt qu'auprès de quelqu'un qui se spécialise en posture générale.

Chaque chaussure est conçue pour un type d'activités bien précis. Les *chaussures de course* ont des coussinets dans le talon qui permettent un meilleur amortissement, puisque ce sont effectivement les talons qui touchent d'abord le sol. Il existe de nombreuses autres chaussures qui comprennent des coussinets sur toute leur longueur.

Les *chaussures d'aérobique* ont des coussinets pour les orteils, puisque c'est sur la pointe des pieds que les exercices d'aérobique s'effectuent principalement. Elles sont également conçues pour offrir une meilleure adhérence sur les planchers des salles d'aérobique.

Les *chaussures de randonnée* offrent davantage de stabilité et de protection pour les chevilles, ce qui augmente l'équilibre lorsqu'on est sur différents types de terrains, alors que les *chaussures de marche* offrent stabilité générale et confort.

Les *chaussures multisport* comprennent des coussinets sur toute la longueur de la

Débardeur court

Soutien-gorge de sport

Survêtement long

Débardeur et short

Chaussures de marche

Chaussures d'aérobique

chaussure pour ceux qui pratiquent différents types d'activités.

Assurez-vous que les chaussures que vous choisirez sont à la fois confortables et appropriées à vos activités.

Lorsque vous choisirez des chaussettes, la priorité devrait être le confort.

Les meilleures **chaussettes** sont celles fabriquées en fibres naturelles comme le coton ou en fibres hydrophiles, puisque ce sont ces fibres qui absorbent la transpiration. Remarquez cependant que le coton a tendance à retenir la transpiration, alors que les fibres synthétiques ramènent la transpiration à la surface de la chaussette pour lui permettre de s'évaporer. Les chaussettes qui ne présentent aucune couture et qui sont molletonnées réduisent de façon remarquable les risques d'ampoules. Certaines chaussettes offrent une protection de la voûte plantaire, ce qui protège bien le pied, surtout dans des activités énergiques comme l'aérobique.

Les **vêtements de sport** sont question de goût, mais il y a quelques préoccupations à prendre en compte concernant le milieu dans lequel on fait de l'exercice. Cela peut sembler évident, mais si vous faites des exercices alors qu'il fait très chaud, il est préférable de porter des vêtements amples, de couleur claire, à manches et à jambes courtes. Si vous faites des exercices à l'extérieur et qu'il fait soleil, n'oubliez pas de porter une visière et d'appliquer un écran solaire. Il est déconseillé de porter une casquette à l'intérieur même si c'est à la mode, puisque l'on perd beaucoup de chaleur par la tête et le port d'une casquette ralentit le processus de récupération.

En hiver, il vaut mieux porter des vêtements à manches et à jambes longues, en fibres qui emprisonnent la chaleur. Une casquette serait appropriée en hiver puisqu'elle permet de retenir la chaleur pendant que vous vous réchauffez.

Pour effectuer des exercices qui exigent que les articulations soient souvent fléchies, il est recommandé de porter des vêtements en fibres extensibles. Imaginez que vous suiviez un cours de kickboxing et que vous portiez un jean, vous comprendrez le raisonnement. Par ailleurs, si vous préférez ne pas porter de vêtements en fibres extensibles, choisissez des vêtements qui arrivent au-dessus du genou ou à mi-cuisse.

Le coton est une fibre naturelle et confortable qui absorbe bien la transpiration, mais qui la retient bien aussi, donc vous risquez de ne pas être tout à fait au sec lorsque vous faites des exercices. Cela ne devrait pas poser un gros problème, mais si vous transpirez beaucoup, par contre, il serait bon de vous tourner vers les fibres synthétiques comme le nylon ou le spandex, qui sèchent rapidement et qui

Des vêtements de sport dans lesquels vous vous sentez à l'aise peuvent influencer positivement la façon dont vous faites vos exercices.

Débardeur long

Chaussettes, visière, casquette, lunettes de soleil et bandeau serre-tête

Short boxer

Tricot d'extérieur

Survêtement chaud

Chaussures de randonnée

Chaussures de course pour hommes

Chaussures de course pour femmes

Chaussures multisport pour femmes

Chaussures multisport pour hommes

offrent donc un confort accru durant de plus longs exercices.

Des athlètes de haut niveau et des sportifs amateurs portent des vêtements en fibres synthétiques; vous aurez certainement remarqué les shorts des cyclistes, fabriqués avec ces fibres brillantes.

Un apprêt a été appliqué sur certaines fibres synthétiques afin que, d'une part, leur absorption de la transpiration soit celle des fibres naturelles et que, d'autre part, elles sèchent rapidement. L'apprêt attire la transpiration à la surface du vêtement, qui de là s'évapore. Il existe d'autres types de fibres traitées spécialement conçues pour produire le même effet.

Depuis peu, il existe des vêtements à fibres antibactériennes, qui peuvent s'avérer utiles lorsqu'on ne peut pas prendre de douche tout de suite après une séance d'exercices et qu'il faut garder ses vêtements imprégnés de sueur pendant quelques heures. S'il vous est arrivé de devoir garder un vêtement humide de transpiration, vous connaissez donc la gêne que provoquent des démangeaisons ou des infections fongiques.

Tous les vêtements composés de fibres mentionnées ci-dessus se présentent en format extensible et non extensible; c'est à vous de prendre une décision à cet égard en fonction du type d'activités que vous aurez choisies.

De plus, une nouvelle génération de fibres synthétiques a fait son apparition, les microfibres, qui se mélangent au spandex. En plus d'être soyeuses sur la peau, les microfibres ont des propriétés hydrophiles supplémentaires.

Pour ceux qui font des exercices à l'extérieur, surtout quant il fait frais, il existe des vêtements faits en textiles anti-déchirure, comme ceux dont on se sert pour fabriquer des parachutes, qui sont légers et chauds en même temps. Les fibres de ces textiles sont étroitement tissées pour empêcher que l'air ne les traverse, mais elles sont néanmoins perméables et donc, elles permettent de laisser passer la transpiration.

En règle générale, c'est le confort qui doit guider vos décisions; si les vêtements que vous choisissez vous serrent trop, il est peu probable que votre séance d'exercices soit réussie.

Les femmes devront peut-être envisager l'achat d'un soutien-gorge de sport. Voici quelques éléments importants à prendre en compte lorsque vous achetez un soutien-gorge de sport:

• Le confort est essentiel.
• Pour un très bon maintien, choisissez un dos nageur et des bretelles larges.
• Évitez de choisir un soutien-gorge qui présente trop d'agrafes ou de crochets qui peuvent provoquer des frottements et donc des irritations.

Il existe sur le marché une variété de vêtements de sport aux modèles et aux fibres variés; vous devriez dénicher sans trop de difficultés un vêtement conçu pour votre type d'activités.

• Choisissez un soutien-gorge en coton ou à proportion élevée en coton, dans lequel vous vous sentez confortable et qui permet à la peau de respirer.

L'hydratation

La bouteille d'eau est un accessoire essentiel, puisque tout au long d'une séance d'exercices, il faut boire à intervalles réguliers. Quand vous commencez à sentir que vous avez soif, il est déjà trop tard : vous êtes sans doute déjà déshydraté. Le facteur de la soif n'est donc pas un bon indicateur auquel se fier. Un bon indicateur par contre est l'urine ; un corps bien hydraté produit une urine jaune clair ou presque transparente. Les urines foncées indiquent un stade de déshydratation du corps. N'oubliez pas que le café, le thé, l'alcool sont des diurétiques qui déshydratent le corps même si votre urine est claire.

Le American College of Sports Medicine (ACSM) recommande l'absorption de 230 à 340 ml de liquides 15 minutes avant le début d'une séance d'exercices ; de 85 à 115 ml toutes les 10 à 15 minutes pendant la séance d'exercices ; et 450 ml pour chaque tranche de 5 kilos perdus pendant une séance d'exercices. Cela signifie qu'il faut vous peser avant et après une séance d'exercices pour évaluer la perte totale de fluides dans le corps. Pesez-vous deux ou trois fois pour avoir une idée de la perte de fluides par séance.

Le ACSM recommande également que pour toute activité physique de moins de 60 minutes, la perte de fluides soit compensée par l'absorption d'eau, fluide de remplacement idéal et souhaitable. Pour les activités physiques qui durent plus de 60 minutes, les boissons pour sportifs sont bénéfiques, car elles fournissent de l'énergie et des électrolytes et encouragent l'absorption supplémentaire de fluides. Si vous êtes déshydraté, vous remarquerez que vous vous fatiguez plus vite et que vous avez des problèmes de coordination. Lorsque vous choisissez une boisson pour sportifs, voici quelques éléments à prendre en compte :

• Choisissez une boisson dont la teneur en hydrates de carbone ne dépasse pas 10 pour cent ; la plupart des boissons pour sportifs ont une teneur de 6 à 8 pour cent.

• La température de la boisson doit correspondre à vos goûts : si vous préférez une boisson bien froide, arrangez-vous pour la mettre au réfrigérateur avant de commencer votre séance d'exercices.

• Choisissez une boisson où se retrouvent de nombreux électrolytes, mais pas trop parce que cela rend la boisson trop salée et donc imbuvable.

• Évitez les boissons trop sucrées, elles ne désaltèrent pas.

• Choisissez une boisson dont vous aimez le goût ; si vous n'aimez pas le goût, il est peu probable que vous la buviez.

• Si vous préférez une boisson sans saveur, choisissez une solution de polymères de glucose.

Prendre son pouls

Il est important et utile de connaître son rythme cardiaque (le *pouls*) au repos, puisque cela indiquera si le cœur pompe adéquatement le sang dans le corps lorsqu'on est au repos. En règle générale, plus le pouls est bas et plus le cœur est en bonne condition. En moyenne, il y a entre 70 et 90 battements par minute. Si votre pouls au repos est plus faible que la moyenne et que vous ne faites aucun exercice physique, offrez ce livre à quelqu'un qui en a vraiment besoin !

Mais trêve de plaisanterie, cela signifie que votre cœur pompe efficacement le sang dans le corps : pour la même quantité de sang dont votre corps a besoin, votre cœur bat moins souvent, ce qui réduit sa charge puisque chaque battement est assez puissant pour acheminer un plus gros volume de sang.

Pour prendre votre pouls, posez deux

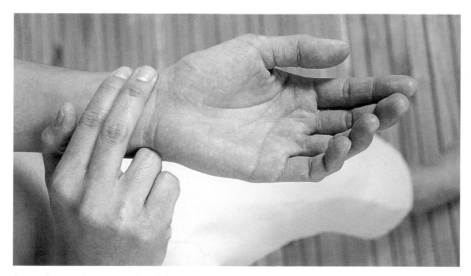

On prend son pouls en posant deux doigts sur le poignet, juste sous la base du pouce.

doigts sur le poignet gauche, sous la base du pouce. Vous remarquerez que se trouve là un léger creux sur lequel vous pouvez poser les doigts.

Comptez les battements du cœur pendant une minute. Prenez votre pouls avant de sauter du lit, pendant trois jours de suite pour obtenir une moyenne.

À mesure que votre forme physique s'améliore, votre pouls au repos diminuera, un signe que votre cœur est en train de devenir plus fort et plus efficace.

Il est tout aussi utile de prendre son pouls pendant une séance d'exercices. Cela vous permet de savoir si votre cœur gère bien ou non ce surplus d'efforts, vous donnant ainsi l'occasion d'accroître l'intensité de vos efforts si votre rythme cardiaque est trop faible ou d'en diminuer l'intensité si votre rythme est trop élevé. Il y a trois façons de mesurer l'intensité des exercices : en prenant son pouls, en utilisant un cardiofréquencemètre et en consultant l'échelle de perception de l'effort.

Prendre votre pouls manuellement pendant que vous faites un exercice signifie qu'il vous faut cesser cette activité pour compter les battements du cœur. Essayez de prendre votre pouls dans les cinq secondes qui suivent la fin d'un exercice. Au lieu de compter les battements du cœur pendant une minute, comptez-les pendant 15 secondes et multipliez le résultat que vous obtenez par quatre. Ainsi, si vous obtenez le chiffre 26 au bout de 15 secondes, multipliez 26 par 4. Votre pouls est de 104 battements par minute.

Un cardiofréquencemètre permet de savoir rapidement si votre cœur gère bien le surplus d'efforts sans avoir à prendre votre pouls maladroitement. Pour la plupart des cardiofréquencemètres, il suffit de placer une ceinture émettrice autour de la poitrine. La ceinture enregistre la fréquence

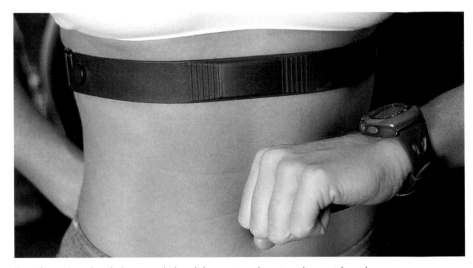

Une ceinture émettrice placée autour de la poitrine peut prendre automatiquement le pouls.

cardiaque et transmet à la montre réceptrice autour de votre poignet le nombre de pulsations par minute. Si vous devez décider d'accroître, de maintenir ou de diminuer l'intensité des exercices, reportez-vous au chiffre indiqué sur la montre réceptrice.

L'échelle de perception de l'effort permet d'associer ce que vous ressentez aux efforts que vous fournissez, bien mieux qu'une simple lecture du pouls. Le tableau à droite est un moyen efficace d'évaluation de l'intensité des exercices exécutés. L'échelle peut à première vue paraître abstraite, mais plus vous vous y référerez et plus vous saurez la déchiffrer avec précision. Il s'agit d'un outil utile lorsque vous vous débattez en vitesse à prendre votre pouls ou si vous ne désirez pas acheter un cardiofréquencemètre, qui peut être un objet onéreux.

Pour savoir si l'intensité des exercices que vous effectuez est trop ou pas assez élevée, il vous faut d'abord déterminer vos objectifs à l'avance et donc, le degré de difficulté que vos exercices doivent atteindre. Une fois que vous avez pris votre pouls au repos, appliquez la formule suivante pour déterminer votre pouls maximal, en d'autres mots, jusqu'où votre cœur peut travailler :

Hommes :

220 – âge (en années) = pouls maximal

Femmes :

226 – âge (en années) = pouls maximal

N'oubliez pas que cette formule est une formule généralisée, il se peut que vous

ÉCHELLE DE CATÉGORIES DE PERCEPTION DE L'EFFORT

0	Rien du tout	Aucune intensité
0,3		
0,5	Extrêmement faible	À peine remarquable
0,7		
1	Très faible	Légère
1,5		
2	Faible	Légère
2,5		
3	Modéré	
4		
5	Fort	Élevée
6		
7	Très fort	
8		
9		
10	Extrêmement fort	Intensité très élevée
11		
*	Maximum absolu	Intensité extrême

Source : American College of Sports Medicine

Une fois que vous vous sentez à l'aise à faire des efforts physiques d'intensité modérée, vous pouvez commencer à intégrer des activités à intensité élevée (entre 85 et 95 pour cent du pouls maximal).

Multipliez le chiffre ainsi obtenu à la suite de l'application de la formule du pouls maximal par le pourcentage d'intensité choisie pour vos activités afin de connaître le pouls en action, exprimé en battements par minute (bpm). Voici un exemple :

Imaginons que vous soyez une jeune femme de 26 ans, vous devriez avoir un pouls de (226-26) x 200 bpm. Vous venez à peine de commencer à faire des exercices, vous choisissez donc d'effectuer des exercices où vous ne dépassez pas de 60 à 75 pour cent de votre pouls maximal. Donc, 200 x 60 % = 120 bpm et 200 x 75 % = 150 bpm. Par conséquent, votre pouls devrait se situer entre 120 et 150 bpm lorsque vous faites des exercices.

Si votre pouls est plus élevé que cela pendant votre séance d'exercices ou si vous vous fondez sur l'échelle de perception de l'effort et que vous sentez que vous faites plus d'efforts que le maximum admis, ajustez les efforts en conséquence. Faites l'inverse si votre pouls est en deçà du minimum admis.

À mesure que vous vous habituez à déterminer l'équation entre votre pouls et la façon dont vous vous sentez pendant l'exercice, il vous sera plus facile de faire les ajustements nécessaires sans avoir à prendre votre pouls.

Soyez conscient de ce que vous ressentez lorsque vous faites des exercices pour vous permettre d'en contrôler l'intensité.

puissiez travailler en dépassant le maximum indiqué dans la formule ou qu'au contraire, vous soyez dans l'impossibilité d'atteindre ce maximum. Cette formule devrait servir de guide, tout simplement.

Afin que votre forme cardiovasculaire s'améliore, il faudrait que votre pouls avoisine les 60 à 90 pour cent du pouls maximal. Il est recommandé de commencer par des efforts de faible intensité, soit entre 55 et 70 pour cent du pouls maximal et ensuite, de progressivement faire des efforts d'intensité modérée, soit

entre 70 et 85 pour cent du pouls maximal, et ce, sur une période de 6 à 14 semaines, en partant du principe que vous effectuez des activités physiques régulièrement tout au long de cette période.

INTENSITÉ DES ACTIVITÉS			
	Faible	Modérée	Élevée
Pouls maximal	55 % - 70 %	70 % - 85 %	85 % - 95 %

Tout sur les salles d'entraînement

Il semble y avoir deux groupes de personnes dans ce monde : celles qui se rendent dans une salle d'entraînement et celles qui ne s'y rendent pas. Ce qui ne veut pas dire que vous n'êtes pas actif physiquement si vous n'êtes pas membre d'une salle d'entraînement ; en fait, de nombreuses personnes préfèrent faire des exercices en plein air, dans les montagnes, à la plage, plutôt que de s'enfermer dans une salle étouffante, grouillante de monde, qui ne ressemble en rien à l'environnement extérieur. Il n'en reste pas moins qu'il y a de nombreuses personnes qui aiment l'énergie que dégage une salle d'entraînement, qui en aiment la dimension sociale mais aussi la possibilité de faire toutes sortes d'activités dans un seul endroit. Cela ne revient pas non plus à dire que ceux qui se rendent dans une salle d'entraînement sont nécessairement plus actifs que les autres. De nombreux membres de salles d'entraînement entrent, font toutes sortes d'exercices à contrecœur pour aller ensuite s'asseoir au sauna ou au comptoir à jus le reste du temps.

Si vous vous rendez dans une salle d'entraînement de manière régulière, sautez la lecture de la section suivante qui est réservée à ceux qui veulent s'inscrire à une salle d'entraînement mais qui ne sont pas certains de ce qu'il faut faire ni de comment s'y prendre.

Étiquette en salle d'entraînement

Croyez-le ou non, mais il existe une étiquette propre aux salles d'entraînement. La plupart d'entre elles ont une série de règlements que l'on vous demande de respecter. Voici quelques-uns de ces règlements, les plus fréquents et les plus implicites :

- Il faut porter des chaussures quand vous faites des exercices ; vous n'aurez certainement pas envie de perdre un orteil lorsque vous serez dans la section des poids libres.
- Il faut avoir une serviette de bain ; personne ne veut faire d'exercices sur un appareil imprégné de votre transpiration ; vous n'aurez certainement pas envie non plus de vous asseoir sur un appareil que 30 000 autres personnes ont utilisé et imprégné de leur transpiration.
- Il faut respecter les zones désignées : garder les haltères dans la zone musculation ; effectuer les exercices cardiovasculaires dans l'espace qui leur est réservé ; s'étirer dans le secteur où sont les tapis (les salles de conditionnement physique ont en général prévu un espace assez grand pour les étirements et les exercices visant à tonifier les muscles), etc.
- Il faut ranger les haltères quand vous avez fini de les utiliser ; vous trouverez des supports de rangement pour les poids et les disques d'haltères ; assurez-vous donc de bien les remettre à leur place.
- Il faut attendre son tour pour travailler sur un appareil cardiovasculaire. La plupart des salles vous alloueront une durée limitée d'utilisation de ces appareils pendant les heures de pointe. Il est fort probable que vous découvrirez rapidement à quel point certains muscles sont forts et solides si vous venait l'idée de vous faufiler sans attendre ou d'accaparer un appareil !
- Il ne faut pas avoir peur de vous plaindre si quelque chose vous déplaît, qu'il s'agisse d'un aspect de l'aménagement ou du service ; vous trouverez sans doute des fiches de suggestions à la réception. Les irritants peuvent être de toutes natures : le volume de la musique, un personnel pas toujours très aimable, des appareils qui ne fonctionnent pas ou encore des moniteurs inattentifs.
- Il ne faut pas jurer ou employer des termes racistes, sexistes ou offensants, même si votre pied se trouve coincé sous un haltère de 200 kilos.
- Il ne faut pas remplir sa bouteille d'eau à la fontaine alors qu'il y a une queue derrière vous : attendez que la circulation de personnes ralentisse ou alors, allez à la salle de bain pour remplir votre bouteille.
- Il ne faut pas se moquer d'autres personnes qui font des exercices ; on ne sait jamais, elles ont peut-être une très bonne raison de s'asseoir à l'envers sur l'appareil du rameur.
- Il ne faut pas draguer les personnes qui font des exercices. Vous êtes dans la salle d'entraînement pour faire des exercices (enfin, c'est ce que les moniteurs de conditionnement physique veulent bien croire).

LE JARGON DE LA SALLE D'ENTRAÎNEMENT

Afin de comprendre le jargon qui est employé dans les salles d'entraînement, voici quelques mots qu'il vous faut connaître :

Pecs = pectoraux

Abs = abdominaux

Quads = quadriceps

Ischio = ischio-jambiers

Répèt = répétitions

Services offerts par le personnel d'une salle d'entraînement

La plupart des salles d'entraînement engagent un instructeur ou un entraîneur en conditionnement physique. Ces personnes rangent les haltères et divers accessoires que les membres ont laissé traîner. Elles sont là aussi pour aider les membres et, bien que leur formation ne leur permette pas toujours de mettre au point des programmes d'exercices personnalisés, elles devraient être en mesure de vous offrir de judicieux conseils d'entraînement. Elles devraient en tout cas en savoir suffisamment pour venir vous voir et vous le dire, si vous ne faites pas face à l'appareil.

Il se peut que vous puissiez engager un entraîneur personnel. Que ces services soient payants ou non, tout dépend de la politique de la salle d'entraînement. Pour les débutants, les entraîneurs personnels peuvent être une grande source de motivation puisqu'ils exigent que vous fixiez à l'avance la prochaine séance, s'assurant ainsi qu'elle est inscrite dans votre agenda. Leurs talents et compétences leur permettent également de mettre au point un programme d'exercices personnalisé, et donc, efficace. Puisqu'ils vous feront passer un examen et une évaluation avant d'entamer une relation de travail, ils connaîtront vos antécédents physiques, votre état de santé et le genre d'exercices que vous effectuez à ce moment-là, mais aussi vos objectifs et les buts que vous vous êtes fixés. Ils peuvent vous aider à mettre au point un plan d'action qui vous aidera à demeurer concentré et motivé. Avant d'engager un entraîneur personnel, n'oubliez pas de poser ces questions essentielles :

• *Quelle est votre formation ?* Cherchez à savoir en quelle année l'entraîneur a suivi ses cours de formation. Est-ce que cela remonte à 30 ans et si oui, a-t-il ou elle suivi d'autres cours depuis ? Sinon, il se-rait bon de choisir un autre entraîneur.

• *A-t-il ou elle un permis ?* Dans certains pays, les entraîneurs de conditionnement physique doivent obtenir un permis auprès d'une association agréée. Ainsi, des normes nationales sont appliquées. Si dans votre pays, les entraîneurs n'ont pas besoin de détenir un permis, cherchez à savoir si l'entraîneur que vous songez à engager fait partie d'une association de conditionnement physique.

• *Depuis votre diplôme ou la fin de votre formation, avez-vous suivi des cours supplémentaires ?* Puisque l'industrie de la mise en forme présente constamment de nouvelles idées et théories, il est logique que les entraîneurs intègres fassent des mises à jour régulières de leur formation. Idéalement, les entraîneurs devraient avoir suivi un séminaire, un atelier ou un cours chaque année depuis la délivrance de leur diplôme / permis.

N'hésitez pas à demander de l'aide si vous pensez éprouver des difficultés avec une technique ou un haltère.

Appareils de la salle d'entraînement

Les appareils que l'on retrouve en salle d'entraînement peuvent être assez intimidants, même pour ceux qui évoluent dans un environnement de conditionnement physique depuis plusieurs années. Afin de vous aider à comprendre comment ces appareils devraient être utilisés, quelques-uns des appareils les plus fréquemment utilisés sont illustrés dans les pages suivantes. Les illustrations sont accompagnées d'explications se rapportant à la partie du corps pour laquelle ils sont conçus.

N'oubliez pas que différentes salles d'entraînement utilisent différents appareils ou différents éléments d'appareils; il peut donc arriver que parfois, un élément d'un appareil ciblant la même partie du corps soit présenté différemment. Ainsi, l'appareil de développés peut s'utiliser en position assise ou en position allongée. Mais en général, les informations contenues dans les pages suivantes vous donneront une assez bonne idée de ce que vous devez faire lorsque vous utilisez ces appareils.

Pectoraux (poitrine)

⬅ PRESSE À PECTORAUX

Assis, le dos contre le dossier de l'appareil. Posez les avant-bras sur les coussinets de façon à ce que les coudes soient à la hauteur des épaules, les mains directement au-dessus des coudes. Posez les pieds sur le repose-pieds et adossez-vous bien au siège. Ensuite, essayez de serrer les coudes autant que possible en les ramenant l'un près de l'autre avant de revenir à la position de départ, tout en vous assurant que les coudes et la poitrine sont alignés (les coudes peuvent légèrement dépasser la poitrine). Si vous estimez que l'exercice est trop difficile, même avec le plus petit poids, descendez les coudes de façon à ce que les mains, et non plus les avant-bras, agrippent les coussinets.

APPAREIL DE DÉVELOPPÉ, POSITION ASSISE ➡

Assis, le dos bien droit contre le dossier de l'appareil. Posez les pieds sur le repose-pieds et agrippez de vos mains les poignées de l'appareil; poussez lentement les poignées vers l'avant jusqu'à ce que les bras soient tendus avant de les plier et de revenir à la position de départ. Il se peut que vous deviez pousser un peu plus sur le repose-pieds pour éloigner les poignées de l'appareil du corps avant de commencer l'exercice.

Épaules

← SOULEVÉ LATÉRAL, ABDUCTION DES ÉPAULES

Réglez la hauteur du siège selon votre taille. Assis, le dos bien droit contre le dossier de l'appareil, les pieds sur le repose-pieds. Les bras fléchis, agrippez les poignées de l'appareil et placez les coudes contre les coussinets. Lentement, ouvrez les bras sur les côtés et revenez à la position de départ. Assurez-vous de bien tenir les épaules baissées tout au long de l'exécution du mouvement. Ces appareils ont parfois un deuxième repose-pieds qui permet une meilleure prise des poignées et donc, une position de départ plus confortable.

DÉVELOPPÉ DES ÉPAULES →

Réglez la hauteur du siège selon votre taille. Assis, le dos bien droit contre le dossier de l'appareil. Posez les pieds sur le repose-pieds et agrippez les poignées. Lentement, levez les bras jusqu'à ce qu'ils soient tendus, puis revenez à la position de départ. Il arrive que cet appareil présente une prise large ou une prise étroite. L'appareil à prise étroite sollicite davantage le faisceau antérieur du deltoïde ; l'appareil à prise large sollicite le faisceau moyen du deltoïde. Tout comme pour l'exercice précédent, soulevé latéral, le développé des épaules présentera peut-être un deuxième repose-pieds qui permet une meilleure prise des poignées et donc, une position de départ plus confortable.

Bras

⇐ FLEXION DU COUDE

Asseyez-vous de façon à faire face à l'appareil, les pieds bien posés au sol et les coudes posés sur le coussinet qui se trouve devant vous, placés directement en face des épaules. Agrippez les poignées, la paume des mains doit vous faire face et lentement, ramenez les poignées vers les épaules; revenez ensuite à la position de départ. Essayez de garder la poitrine ouverte et le dos en position neutre tout au long de l'exécution de ce mouvement.

EXTENSION DU COUDE, POSITION ASSISE ⇒

Assis, les pieds posés sur le repose-pieds et les mains tenant les barres parallèles qui se trouvent sur les côtés de l'appareil. Il se peut que l'appareil présente un deuxième repose-pieds qui permet une meilleure prise des barres et donc, une position de départ plus confortable. Les épaules doivent être baissées, les coudes rentrés dans le corps. Lentement, poussez les barres parallèles vers le bas jusqu'à ce que les bras soient tendus, puis revenez à la position de départ.

Dos

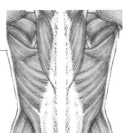

↻ EXTENSION DORSALE, POSITION ASSISE

Assis, le dos contre le coussinet de l'appareil, les pieds posés sur le repose-pieds. Le coussinet peut se régler selon votre taille. Tenez le siège des mains et lentement, poussez le coussinet vers l'arrière aussi loin que vous le pouvez tout en étant confortable ou tant que l'appareil vous le permet, puis revenez à la position de départ. En exécutant le mouvement, n'oubliez pas de garder la colonne vertébrale en position neutre.

HYPEREXTENSION HORIZONTALE ➡

Allongez-vous sur l'appareil de façon à ce que le haut des cuisses soit posé sur la partie supérieure du coussin mobile et que les mains agrippent les poignées. Lentement, penchez-vous vers l'avant tout en bloquant les talons sous le coussin fixe prévu à cet effet et qui peut être réglé selon la longueur de vos jambes. Lorsque la poitrine est dirigée vers le sol, relâchez les mains et joignez-les devant ou derrière la tête. Lentement, remontez la colonne vertébrale, une vertèbre à la fois jusqu'à ce que le dos soit dans le prolongement des hanches. Redescendez vers le sol de la même façon (imaginez rouler la tête vers l'os pubien). La colonne vertébrale doit être droite, ce qui signifie que vous pliez les hanches et non la colonne vertébrale. Cet exercice fait travailler les muscles extenseurs du dos, les fesses et les ischio-jambiers. Lorsque vous roulez la colonne vertébrale, en descendant ou en remontant, les fessiers et les ischio-jambiers seront sollicités, mais ce ne seront pas les muscles ciblés ; cet exercice cible en effet davantage les muscles du dos. Les débutants préféreront sans doute faire l'exercice précédent, en position assise.

TRACTION À LA BARRE ➲

Si vous n'avez jamais effectué d'exercices de traction auparavant, il se peut que vous ayez besoin de poser plusieurs disques d'haltères sur cet appareil. Essayez tout d'abord de poser la moitié de votre poids en haltères sur l'appareil. Plus vous posez d'haltères et plus l'exercice est facile à effectuer. Agenouillez-vous sur le coussin prévu à cet effet (il y a parfois un coussinet pour se tenir debout), face à l'appareil. Agrippez les poignées et tirez le corps vers le haut, en commençant par la poitrine. Lentement, revenez à la position de départ. En général, cet appareil présente différentes poignées placées à différentes largeurs. Lorsque vous utilisez les poignées à prise large, les muscles dorsaux sont davantage sollicités, alors que les poignées à prise étroite, que vous pouvez agripper de façon à ce que les paumes de la main soient dirigées vers le visage, permettent de développer les bras, et plus particulièrement les biceps.

Abdominaux

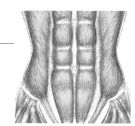

⬅ FLEXION DU TRONC

Les fesses posées contre le dossier de l'appareil, la poitrine droite et les avant-bras posés sur les accoudoirs, agrippez les poignées et laissez les pieds en suspension. À partir de cette position, vous pouvez choisir de :

1. TRAVAILLER LES MUSCLES ABDOMINAUX : Soulevez les genoux de façon à ce qu'ils soient dans le prolongement des hanches. Ce sera votre position de départ. Essayez ensuite de soulever les genoux aussi près de la poitrine que possible avant de les descendre lentement vers la position de départ.

2. ACTIVER LES FLÉCHISSEURS DES HANCHES : Les jambes sont tendues en suspension. Ce sera votre position de départ. Lentement, soulevez les genoux jusqu'à ce qu'ils soient à la hauteur des hanches et ensuite, ramenez-les en position de départ.

3. COMBINER LES DEUX EXERCICES en faisant travailler les abdominaux et les fléchisseurs des hanches.

DEMI-REDRESSEMENT ➔

Assis, les pieds surélevés sur le repose-pieds, le coussinet derrière le dos (le coussinet peut être réglé pour s'ajuster à votre taille). Agrippez les poignées et lentement, tirez les poignées et le corps vers l'avant en direction des genoux, puis revenez à la position de départ. Certains appareils présentent une poignée sous laquelle poser les orteils, ce qui crée un effet de balancier et permet de tirer les bras vers l'avant tout en bloquant les orteils. De cette façon, vous pourrez effectuer de nombreuses répétitions, mais vous ciblerez davantage les abdominaux si vous ne bloquez pas les orteils, car ainsi les fléchisseurs des hanches ne pourront venir en aide aux abdominaux.

Jambes et fesses

⬅ POUSSÉE DES JAMBES

Debout, le dos contre le dossier de l'appareil, les pieds posés sur le repose-pieds, dirigés vers l'avant et écartés à la largeur des épaules. Votre dos devrait être posé sur le dossier et les épaules sous les coussins horizontaux. Poussez les épaules vers les coussins horizontaux de façon à ce que les jambes retiennent la charge et ensuite, relâchez le frein qui se trouve sur l'un des côtés de l'appareil. Lentement, pliez les genoux, de façon à ce que le corps soit en position d'accroupissement (voir page 85), puis revenez à la position de départ. Essayez de ne pas placer trop de poids ni de trop plier les genoux parce que si l'articulation déploie trop d'efforts, vous pourriez commencer à éprouver des douleurs aux genoux. N'oubliez pas de bloquer le frein avant de descendre de l'appareil.

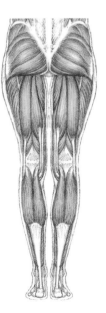

Développé des jambes, position allongée ⮕

Assis, les genoux fléchis et les pieds posés sur l'avant du repose-pieds, écartés à la largeur des épaules. Le dos et la tête doivent être posés sur le dossier réglable. Poussez sur le repose-pieds de façon à ce que les jambes soutiennent la charge avant de relâcher le frein qui se trouve sur le côté de l'appareil. Lentement, tendez les jambes avant de les ramener dans une position où les genoux sont à proximité de la poitrine. Tout comme pour l'exercice précédent, essayez de ne pas placer trop de poids ni de trop plier les genoux et n'oubliez pas de bloquer le frein avant de descendre de l'appareil.

⮐ Extension des jambes

Assis, les tibias sous les coussinets prévus à cet effet et qui sont réglables en fonction de la longueur de vos jambes. Les mains agrippent les poignées sur les côtés. Le dos devrait être collé au dossier de l'appareil, à moins que le dossier ne soit trop long et que vous vous retrouviez affalé ; dans ce cas, avancez les fesses vers le rebord du siège et tenez-vous droit. Lentement, soulevez les coussinets sous lesquels se trouvent les tibias jusqu'à ce que les genoux soient tendus ; ensuite, ramenez les jambes en position de départ. Assurez-vous que la colonne vertébrale est en position neutre ; elle a tendance à se courber dans la région du bas du dos lorsque les quadriceps sont sollicités.

Flexion des jambes, position couchée ⮕

Allongez-vous à plat ventre sur l'appareil, les talons placés sous les coussinets prévus à cet effet et qui sont réglables en fonction de la longueur de vos jambes, les mains agrippant les poignées sur les côtés de la machine. Lentement, soulevez les talons vers les fesses tout en vous assurant que la poitrine et le bassin sont toujours posés sur le banc. (Le bassin en particulier a tendance à se soulever lorsque les ischio-jambiers sont sollicités.) La flexion des pieds dans cet exercice permet d'isoler davantage les ischio-jambiers puisque vous éliminez l'aide que peuvent apporter les muscles des mollets. Redescendez les jambes en position de départ.

ADDUCTION, FACE INTERNE DE LA CUISSE ➡

Adossé contre le dossier de l'appareil, l'intérieur des genoux posé sur les repose-genoux, qui seront bien écartés, les pieds sur le repose-pieds et les mains agrippant les poignées sur les côtés de la machine. Gardez la tête droite. Pour commencer l'exercice, ramenez les jambes l'une vers l'autre aussi près que possible avant de revenir à la position de départ. Assurez-vous que la colonne vertébrale est en position neutre pendant toute l'exécution du mouvement. Écartez les jambes selon votre degré de confort. Si l'appareil les écarte trop et que vous avez du mal à les refermer, réduisez les poids que vous avez posés sur l'appareil ou écartez-les à mi-distance en attendant que vos muscles acquièrent plus de force.

⬅ ABDUCTION, FACE EXTERNE DE LA CUISSE

Cet exercice est l'inverse de l'exercice précédent. Adossé contre le siège, l'extérieur des genoux posé contre les repose-genoux, les pieds sur le repose-pieds et les mains agrippant les poignées sur les côtés de l'appareil. Posez la tête contre le dossier. Lentement, écartez les jambes aussi loin que possible avant de les ramener en position de départ. Ici aussi, tout comme dans l'exercice précédent, assurez-vous que la colonne vertébrale est en position neutre tout au long de l'exécution du mouvement.

Il se peut que vous remarquiez que vous ne pouvez pas écarter les jambes aussi loin l'une de l'autre que le permet l'appareil. Réduisez les poids que vous avez posés sur l'appareil et écartez les jambes de toute la largeur possible plutôt que de travailler avec une trop grosse charge et un mouvement restreint.

Glossaire

Antéversion du bassin : inclinaison vers l'arrière du bas du bassin (os pubien) alors que le haut du bassin (os des hanches) s'incline vers l'avant

Contraction : diminution du volume ou de la longueur d'un muscle

Cyphose : courbe anormale de la colonne vertébrale qui résulte en un dos voûté

Déséquilibre musculaire : force inégale d'un muscle ou d'un groupe de muscles, résultant en un muscle ou un groupe de muscles plus fort ou plus faible que d'autres

Échelle de perception de l'effort : prise en compte personnelle des niveaux d'efforts fournis durant un exercice

Ectomorphe : l'un des types morphologiques où le corps est grand et mince

Élan : mouvement incontrôlé du corps ou des membres (qui facilite le travail d'une autre partie du corps)

Endomorphe : l'un des types morphologiques où le corps stocke les graisses et est lourd

Entraînement continu : activité cardiovasculaire durant laquelle l'effort est constant

Entraînement en souplesse : méthode d'entraînement qui permet d'accroître l'amplitude des mouvements que peut effectuer une articulation

Entraînement fonctionnel des abdominaux : sollicitation des muscles abdominaux par des exercices qui imitent de près les mouvements quotidiens

Entraînement musculaire : exercices contre une charge ou une résistance, qui peut être une charge extérieure ou son propre poids

Entraînement par intervalles : cycles chronométrés et répétitifs d'efforts physiques et de repos

Entraînement polyvalent : combinaison de différents types d'exercices à intensités variées

Exercice avec charge : tout type d'exercices qui exige que le corps réagisse en fonction de la gravité

Exercice ciblé : exercice qui cible de manière importante un muscle à la fois

Exercice combiné : exercice qui cible de manière importante plus d'un muscle à la fois

Exercice sans charge : activité physique où le corps est en suspension et ne réagit pas en fonction de la gravité

Fartlek (entraînement) : périodes d'exercices à intensité modérée et élevée sans contrainte de durée

Fibres à contraction rapide : type de fibre musculaire qui se contracte rapidement et qui convient plus aux exercices de courte durée mais vifs

Fibres à contraction lente : type de fibre musculaire qui se contracte lentement et qui convient plus aux activités d'endurance

Force musculaire : quantité de force maximale qu'un muscle ou un groupe de muscles peut produire en une seule contraction

Fréquence : nombre de répétitions d'un exercice

Impact élevé : type d'activité qui exige que les deux pieds soient décollés du sol à un moment donné

Index glycémique : indication de la lenteur ou de la rapidité à laquelle le glucose contenu dans les hydrates de carbone se libère dans le sang

Indice de masse corporelle (IMC) : calcul de la masse corporelle à partir du poids et de la taille

Intensité élevée : activité qui exige beaucoup d'efforts et qui entraîne un pouls élevé

Intensité modérée : activité qui exige peu d'efforts et qui entraîne un pouls peu élevé

Faible impact : type d'activité où l'un des deux pieds est toujours en contact avec le sol

Mésomorphe : l'un des types morphologiques où le corps est musclé et athlétique

Mouvement par à-coups : (dans le contexte d'exercices de souplesse), mouvement de ressort, de rebond

Musculation : travail contre une charge ou une résistance extérieure

Pertinence : principe selon lequel on fait correspondre des exercices d'entraînements à des activités ou objectifs

Position neutre du bassin : position optimale où le bassin n'est incliné ni vers l'avant ni vers l'arrière

Pouls au repos : nombre de battements du cœur par minute lorsque le corps est au repos

Pouls maximal : nombre maximal de battements du cœur en une minute

Répétitions : dans le contexte de l'entraînement musculaire, le nombre de fois qu'un muscle se contracte ou qu'un exercice est effectué

Résistance cardiovasculaire : capacité du corps à effectuer des exercices continus à un pouls élevé pendant de longues périodes de temps

Résistance musculaire : capacité du muscle à se contracter plusieurs fois contre une charge sans se fatiguer ; peut aussi décrire la durée d'une contraction d'un muscle sans éprouver de fatigue

Rétroversion du bassin : inclinaison vers l'avant du bas du bassin (os pubien) alors que le haut du bassin (os de la hanche) s'incline vers l'arrière

Réversibilité : principe selon lequel un corps perd sa capacité d'adaptation à l'entraînement si on ne lui fait pas faire d'efforts sur une base régulière

Rotation externe : rotation d'un membre vers l'extérieur

Rotation interne : rotation d'un membre vers l'intérieur

Routine décomposée : travail de certaines parties du corps un jour et d'autres parties du corps un autre jour

Routine classique : travail de tout le corps le même jour

Série : groupe de répétitions

Stabilisation du torse : développement de la force dans les muscles du torse

Surcharge : accroissement des efforts fournis par le corps en ajoutant plus de charge (poids) que ce à quoi il est habitué

Torse : tronc ; inclut la poitrine, l'abdomen et le dos

Lectures supplémentaires

ANON, *Dynamic: un programme pour s'épanouir au quotidien*, Paris, Octopus-Hachette-Livre, 2003.

COCHRAN, S., et HOUSE, T., *Des bras plus forts : 143 exercices pour développer des muscles puissants et améliorer ses performances*, Paris, Vigot, 2001.

HOLFORD, Patrick, *La bible de la nutrition optimale*, Paris, Marabout, 2001.

UNGARO, Alycea, *Souplesse en douceur : forme et bien-être par la méthode Pilates*, Paris, Hachette, 2003.

Lectures supplémentaires en anglais

ANON, *Energise Your Life*, London, Duncain Baird Publishers, 2001.

BELLING, N., *The Yoga Handbook*, Cape Town, New Holland Publishers, 2003.

BRIFFA, J., *Ultimate Health*, London, Penguin Group, 2002.

DALGLEISH, J., et DOLLERY, S., *The Health & Fitness Handbook*, Essex, Pearson Education Limited, 2001.

GRAHAM, H., *The Lazy Man's Guide to Exercise*, Dublin, New Leaf, 2002.

GREEN, B., *Get with the Program*, New York, Simon & Schuster, 2002.

HOLFORD, P., *100% Health*, London, Piatkus, 1998.

MALCOLM, L., *Health Style*, London, Duncain Baird Publishers, 2001.

MENEZES, A., *Complete Guide to Joseph H. Pilates Techniques of Physical Conditioning*, Australia, Hunter House, 1998.

URLA, J., *Yogilates*, London, Thorsons, 2002.

Lectures sur la santé et l'alimentation proposées par l'éditeur

BISHOP MAC DONALD, Helen, *Du calcium dans votre assiette : des recettes délicieuses pour vivre en bonne santé*, Laval, Guy Saint-Jean Éditeur, 2004.

CUTTER, Teresa, *120 recettes anti-âge : des plats simples et alléchants pour ralentir le vieillissement*, Laval, Guy Saint-Jean Éditeur, 2004.

FEHRSEN-DU TOIT, Renita, *Votre dos : comprendre, prévenir, soulager*, Laval, Guy Saint-Jean Éditeur, 2003.

J. WALTERS, Louisa, BARON COHEN, Aliza, et MERCURI, Adrian, *La cuisine détox : 100 délicieuses recettes énergisantes*, Laval, Guy Saint-Jean Éditeur, 2002.

MELANÇON, François, *Bien manger... pour la vie : santé et délices au menu*, Laval, Guy Saint-Jean Éditeur, 2004.

MITTON, Geraldine, *Anti-âge : le guide*, Laval, Guy Saint-Jean Éditeur, 2004.

RUTHERFORD, Tracy, *Boissons énergisantes et toniques*, Laval, Guy Saint-Jean Éditeur, 2003.

Index